JN022781

弱者の戦術

The Mindset and Tactics of The Underdog

会社存亡の危機を乗り越えるために組織のリーダーは何をしたか

山野智久
アソビューCEO
Tomohisa Yamano

ダイヤモンド社

まえがき

夜の代々木公園周辺を、僕はひたすら走り続けていました。

これ以上、会社のことを考え続けると、心が壊れてしまいそうだったのです。

ひたすら走ることだけに集中して、頭を真っ白にしました。

そうでもしないと気持ちを保てなかった。

走り続けていると、知らず知らずのうちに目から涙が溢れ出ていました。


僕は、遊びの予約サイト「アソビュー！」を運営するアソビュー株式会社の代表取締役ＣＥＯ、山野智久（やまのともひさ）。大学時代にフリーペーパーを創刊し、新卒で入社したリクルートでは営業や事業開発を経験、そして２０１１年にこの会社を創業しました。その後会社は順調に成長していましたが、２０２０年4月、どん底に叩き落とされました。

新型コロナウイルスの感染拡大です。

「アソビュー！」の取り扱い対象となっているのは、スキューバダイビングやラフティングといったアウトドア、また、遊園地や動物園や水族館などのレジャー施設が中心。つまりコロナ禍による「お出かけ自粛」で大打撃を受けた業界のひとつです。

2020年4月7日に発出された緊急事態宣言の影響で、同年4月と5月の売上は昨年対比「マイナス95パーセント」まで落ち込みました。週によっては実質売上ゼロ。「観光・レジャー産業に未来なし」として投資家からも軒並み見放されました。

起業以来、事業の拡大とともに少しずつ増えてきた従業員数は当時約130人。重くのしかかる人件費。溶けていく預金残高。でも、僕は誰ひとり解雇したくなかった……。

潤沢な余剰資金のないベンチャー企業が、コロナ禍が引き起こした未曾有(みぞう)の危機にどう立ち向かったのか。また俗に言う「トップ大学」出身でもMBAホルダーでもなく、ましてやメンタルが決して強くはない僕が、組織のリーダーとしてこの危機にどういう行動をとったのか。そして、最終的にはどのようにして絶望の淵から会社を存続させ、雇用を守ったのか。本書はその戦いを克明に記録した、いわばドキュメンタリーです。

コロナ禍を契機に、ビジネスモデルの転換や組織規模の変更を余儀なくされた会社はとても多いと思います。もしかしたら、今なお先行きが見えない不安の中で打ちひしがれている方もいらっしゃるかもしれません。本書は、そんな危機感や不安を抱いている各分野のリーダーに、ぜひお読みいただきたいと思っています。

未曾有の危機のさなかです。不安を抱かないリーダーはいません。しかし、明けない夜もありません。チャレンジを続ければ、強くはない存在だとしても、きっとどこかに突破口が見つけられるはずです。

アソビューは様々な戦術を企て、チーム全員で実行した結果、突破口を見つけることができました。運に恵まれたということも多分にあると思います。しかし、ただ待っているだけでは運は掴めないと思うのです。

危機の時ほど、リーダーの力量が問われます。

危機におけるリーダーシップはどうあるべきか、心が折れそうになった時にどう持ちこたえるかといった難題に対しても、経験に基づいた僕なりの答えを用意しました。

本書が、多くの志あるビジネスリーダーのお役に立てることを願っています。

弱者の戦術

目次

第1章 未曾有の危機を前に、リーダーは何をしたか

第2章

「在籍出向」で社員の雇用を守り、会社も生き残る

第3章

「社会のリーダー」として何ができるか

第4章 今あるもので今できることを何でもやる。泥臭くてもやる

第5章

起死回生の新規事業を最速でやり抜く

第6章

起業の原点と「点と点がつながる」瞬間

第7章

平時が有事を左右する。危機のリーダーシップ

第1章

未曾有の危機を前に、リーダーは何をしたか

休校要請で予約が激減

コロナ前のアソビューは順風満帆でした。

業績は２０１１年３月の創業以来、毎年のように「過去最高」を更新しており、特に第９期上半期を締めた２０１９年12月は、経営者として今まで以上に強い手応えを感じていました。講じた策がことごとく、狙い通りの成果をあげていたのです。

前職を辞めて約10年。当初は「起業から3年で上場するぞ！」なんて息巻いていた僕でしたが、無論そんなに簡単なものではありません。しかし、立てた仮説と結果が創業以来もっとも「ぴったりはまった」という手応えを掴むことができたのが、この２０１９年12月だったのです。

基盤は十分に整いました。よし、行くぞ！

全社一丸となってそんな気勢を上げていた頃——。

中国の武漢市で新型コロナウイルス感染症（ＣＯＶＩＤ－19）の最初の感染者が報告されました。しかし、当時日本でそれを「未曾有の危機」と捉える人はほとんどいませんでし

コロナ前のアソビュー社員集合写真

た。遠い国のニュースだったように思います。

日本では、クルーズ船ダイヤモンド・プリンセス号の報道を起点として、話題が日に日に大きくなっていきました。2020年2月1日、同船の乗客に罹患（りかん）が確認され、2月3日に横浜港で検疫を実施。その模様は連日ニュース番組やワイドショーで報じられました。

2月1日、時を同じくして僕はあるアラートを受けていました。

お付き合いのある海外のOTA（Online Travel Agent／インターネットを主として取引を行う旅行会社）企業のCEOから、こんな連絡をもらっていたのです。

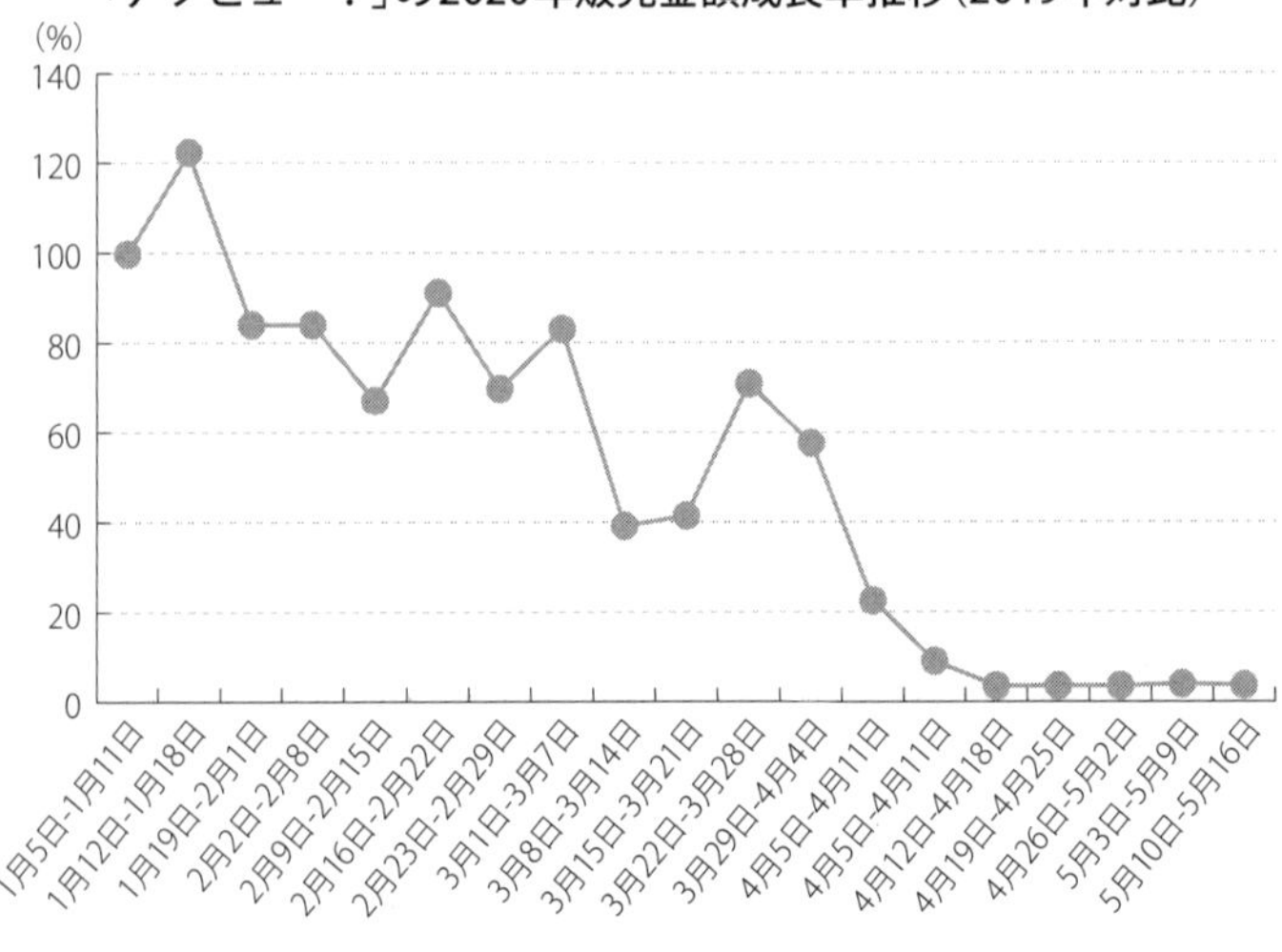

※「アソビュー!」に掲載する全施設の1月5日から5月16までのデータ、1月5日週を100%として算出。

「もしかしたら感染が世界中に広がるかもしれない。情報は注視しておいたほうがいいよ」

　彼はかつて、2003年に中国を中心として大流行したSARS（重症急性呼吸器症候群）の騒動を身をもって経験していたので、その時のことが頭をよぎったのでしょう。

　SARSは日本国内で感染者が出なかったので、多くの日本人にとっては「対岸の火事」だったと思います。僕も同様の認識でした。

　あまり詳しく知らなかった僕はSARSが感染拡大した当時のことをじっくり調べてみました。すると、当時の中国国内では相当深刻な事態に陥（おちい）っていたことがわかりました。

これは、気をつけたほうがいいかもしれない。

アソビューは2月20日から早々に業務のリモートワーク化を開始しました。

2月27日、政府からついに休校要請が出ます。全国の小学校、中学校、高校、特別支援学校に対し、3月2日から春休みまでを臨時休校とするよう通達されました。当然ながら、国民全体に「お出かけしている場合じゃない」という気運が広がります。

こうして春休みの家族旅行や卒業旅行を取りやめる人が続出しました。休校要請が出た日の翌週から「アソビュー!」の予約数は激減。週間売上が半分にまで落ち込みました。

パンデミックで動揺する投資家たち

とはいえこの時点での僕は、売上減に対してはある程度心の準備をしていたため、それほど動揺はしませんでした。

僕の中では、まだ別の希望があったからです。

とある大型の資金調達の話が複数進んでいたので、それさえ実行できれば、正直1年くらいの売上毀損分くらいは挽回できるだろう。そう考えていたのです。

「資金調達さえ計画通りに実行されて10億円くらいの資金が獲得できれば、仮に毎月1億円の赤字を出しても10か月はもつ。今、現金も5か月分くらいはあるし、経費も一から見直せば、なんだかんだで2年近くは大丈夫だろう」

ところが、ここで資金を拠出してくれるはずのベンチャーキャピタル（VC／投資会社）各社の雲行きが怪しくなります。

「このまま感染が収まらなければ、お出かけという習慣そのものがこの世からなくなってしまうのではないか？」「お出かけという習慣がなくなるということは市場がなくなるということ。アソビューのビジネスはもう成立しないのではないか？」

一部のキャピタリストがそう口にするほど、彼らも先行きが読めなかったのだと思います。VC各社が「経験したことのない未曾有の危機」に不安を抱いていたのは明白でした。

しかし、僕自身は市場の可能性を決して疑いませんでした。

SARSの状況を調べに調べていたので、あの爆発的感染拡大（パンデミック）も収束し、そして経済が復活した事実を認識していたからです。

また、アソビューは２０１１年創業ですが、その年に起こった東日本大震災で消滅したさまざまな需要がどのように回復していったか、経営者として多少なりとも経験していました。

さらに歴史を遡れば、今よりずっと遅れた医学でしか対処することができず、公衆衛生も劣悪な時代でしたが、ペスト、天然痘、コレラ、スペイン風邪といった感染症も、ちゃんと収束しています。ですから今回の新型コロナウイルスも必ず収束すると確信していました。

何より人類の「遊びたい」という欲求は、そう簡単になくなるものではありません。「遊ぶ」は人間の根源的欲求であり、その大きな手段のひとつにお出かけや旅行がある。これらがコロナ収束後に完全になくなるとは、どうしても考えづらい。

しかし、ＶＣ各社の反応を目の当たりにして、世の中の認識は僕とは違うということを知り、多少の不安がよぎりました。

「最悪の最悪を想定して準備をしましょう」

そうこうしているうち、ＶＣ各社からの連絡が目に見えて滞りはじめます。かつて「ぜひアソビューさんに投資を！」とポジティブな反応をくれていたＶＣが、どれだけ問い合わせても、うんともすんとも返事がなくなりました。

やんわり返事を催促しても暖簾（のれん）に腕押しだと察知した僕とＣＦＯの河合は、「契約を早く進めたい」と強めに迫りました。すると「ちょっと今、本国がばたついていて、今すぐに進めていきたいというニーズに対してどう回答するのかは、一旦ペンディングとさせてほしい」という、何を言っているのかよくわからない歯切れの悪い返事。要するに「この状況が落ち着くまで、投資は検討できません」ということです。

3月中旬から下旬にかけて、アソビューはジワジワと追い詰められていきました。

ＶＣ各社が次々とペンディングを通達してくるにつれ、いくつもあった可能性のリストに、ひとつずつ「×」がついていきます。このまま行けば全部「×」になる……。挙句の果てには「コロナ案件にはちょっと……」と言われてしまう始末で、気がつけば、僕は顔面蒼白になっていました。

この状況をたとえるなら大学受験や就職活動でしょうか。たくさんあったはずの選択肢が、ひとつずつ消えていく。試験や面接で次々に落ちていく。浪人したらどうしよう……。そんな暗澹（あんたん）たる気持ちでした。

3月26日、著名な実業家でありエンジェル投資家で、当社の株主でもある小澤隆生（おざわたかお）さん（現・ヤフー取締役／専務執行役員COO）から、アソビューを含む投資先メンバーに対して、一斉連絡がありました。小澤さんはアソビューの事業立ち上げはもちろん、VCから最初のエクイティ・ファイナンス（企業が新株予約権を発行して資金調達すること。金融機関からの借入れのように利息を支払わなくて良い。資本が増えるため財務体質が強化される）を実現させた際にも尽力していただいた大恩人であり、僕が一心に尊敬する先輩経営者です。

「みなさん、備えは大丈夫ですか？　最悪の最悪を想定して準備をしましょう。最悪な状態になる前提で、ならなかったらラッキーという意識で対応しましょう」

これは、自分の想像の100倍くらいヤバいかもしれない。

2003年に中国で起こったことが、日本を含む全世界で起こるかもしれない……。

4月に入ると、いよいよエクイティ・ファイナンスが絶望的となりました。可能性リストのすべてに「×」がついたのです。

不安、孤独、葛藤、無力感

この時期の僕は不安に押しつぶされそうでした。

既存の株主やステークホルダーからは「どうなりそうですか？」「どうするつもりですか？」といった連絡が相次ぎました。未曾有の状況下でみんな必死です。中には「会社の売却を検討したほうが良い」という助言すらもありました。「一緒に頑張ろう」「何かできることない？」というような寄り添いの言葉をかけてくれるわけではありません。平時では応援してくれていたはずの方々が、有事の際には真逆の存在に変わっていく。彼らからの連絡はかなり堪え、僕は次第に追い詰められていきました。

会社の業務はリモートワーク体制に切り替えていたので、基本的にオフィスには誰もいません。でも僕は毎日自転車で出社していました。「社長がいつも会社にいる」という無言の灯台っぽい安心感を、先行きの見えない業績を目の当たりにしている組織内に醸したいと思ったからです。でも出社したらしたで、閑散としたオフィスの寂しさが孤独感を次第に増大させます。

正直、倒産の可能性も頭をよぎりました。いっそ会社を畳めば楽になるかもしれない。もしくは事業を大幅に縮小すれば、経営の難易度はぐっと下がるだろう。

だけど……。

倒産したら従業員はどうなる？　アソビューに期待してくれているゲストは？　連帯保証付きの借入は？　事業縮小したとして、また頑張ってこの規模まで戻すことなんてできるのか？　果たして自分自身のモチベーションは維持できるのだろうか？

最悪の事態を常に脳裏にちらつかせながら葛藤する日々が続きます。己の無力さも痛感しました。キャッシュフロー改善の見通しが立たないため、有期契約である業務委託、アルバイト、インターンの方たちに契約延長の提案をすることができず、3月末ですべて契約終了となりました。

できることなら彼・彼女らの雇用も継続したかったのですが、本業が休業状態では、頼むべき目の前の仕事が何もないのです。この時点では先の見通しも描けませんでした。

できる限りのことをしようと、僕から直接連絡をし、必要であれば他社への推薦文を用意することも申し出ました。僕の至らなさを咎めてくれれば、自分を責めることによって心は救われたのかもしれません。ですが、みな感謝や応援の言葉を残して去っていきました。これほどまでに無力感を覚え、悔しく、不甲斐なく、申し訳ないと思った出来事は創業以来ありませんでした。

やり場のない怒りもありました。リクルートの退職から約10年。コツコツ積み上げてきたものを、何か重大な経営上のミスを犯したわけでもないのに、一気に手放さなければいけないなんて。

そんなことがあってたまるか！

不条理な災厄、誰にもぶつけられない怒り。やるせなさ。そこに不安が掛け合わさって吹き上がる、言いようのない絶望感。

このままではメンタルが折れてしまうかもしれない。そんな予感が僕を覆うようになりました。

メンタルの弱さをカバーする「技術」

僕は幼少期から決してメンタルが強いほうではないと自己認識しています。自信満々に見える、態度がでかいなどとよく言われますが、実は周囲の反応を気にする「気にしぃ」

で結構傷つきやすい、見た目の印象とは違う面倒な男です。豪胆な経営者が持ち合わせているような図太い神経もない。

だからその分、技術でメンタルをカバーしてきました。

僕はかつて、リクルート社内で「花形」と呼ばれ、その分「厳しい」ことでも知られるHR（ヒューマンリソース／人材部門）領域の営業でした。メンタルが強い人なら、飛び込み営業先でどやされて追い返されようが塩を投げられようが、あとから笑い話に消化できる。でも、当時の僕には（今もですが）それができません。

だから僕は、自我を捨て、想像力で自分をマシーンに仕立て上げました。

飛び込み営業時に自分の感情を込めすぎると、激しく拒否された場合にメンタルがもろにやられてしまうので、「自分は会社が用意したマシーンだ」と思い込むようにして、僕個人の感情と分離したのです。「ああ、またガチャ切りされてるな、マシーンの俺氏」などと、叱責されている自分を常に俯瞰（ふかん）する。これで乗り切りました。

また、僕はスノボでも全然スピードを出さないでコブなしの緩い斜面をのんびり滑るタイプですし、高速道路でもキープレフトで時速80キロ以上は出しません。臆病者ほど大怪我をしないとはよく言われますが、弱いからこそそれを自覚し、慎重に準備をして技術で挑むべきなのです。

そんな僕ですから、「メンタルが折れるかもしれない」と思った瞬間、対応策をひねり出しました。

その答えは「何も考えない時間を作る」です。

なぜメンタルがやられてしまうのかと言えば、懸念事項が四六時中頭を支配し続けるからです。ずっと〝そのこと〟について考えてしまうから、心が疲労して折れてしまう。実際、窮地に陥った当時の僕は「このまま経営悪化について考え続けていたら、いずれ鬱状態になる」と予感しました。

これはフィジカル（肉体）も同じですよね。激しい運動で筋肉を酷使し続けると、ヘトヘトになって思い通りに動かせなくなり、それでも続けるとやがて大怪我をします。筋肉の疲労を回復させるには、筋肉を休ませるしかありません。

ですからメンタルも、回復させるには休ませるしかない。つまり、〝そのこと〟について考えない時間をできるだけ多く作ればいい。

とはいえ、酷使するのをやめればいい筋肉と違い、「考えないようにしよう」と決意したところで、悪い考えはどうしても頭をもたげてしまいます。

そこで僕のとった方法が、ランニング、Netflix、料理でした。

「考えない時間」を確保

ランニングといっても、ゆっくり走っていてはむしろ色々なことを考えてしまいます。なので、思考を巡らす余裕がなくなるように全力で走りました。代々木公園の周辺を毎日10キロ。同じ道をアスリートのように走り込みました。

大切なのは完全に同じコースを走ること。コースを変えると「ここはどんな道だろう」という思考が生まれ、脳が起動してしまうのでよくありません。ただただ同じ道を無心で走る。淡々と、ルーティンで、限界まで速く走る。

当然ながらしんどいのですが、その時間だけは会社の窮状に思いを馳せなくて済みます。フィジカルは酷使されますが、その代わりにメンタルに一時の休息を与えられました。

次がNetflixです。鬱々としていた時期、僕は『梨泰院(イテウォン)クラス』と『愛の不時着』をずっと観ていました。いずれも韓国のドラマ、全16話。日本では2作とも2020年から配信が始まり話題になったのでご存じの方も多いでしょう。あの時期、この2作に救われました。

なぜ救われたのか？　両作とも現実離れしたストーリーで、小難しい伏線などを考える必要もなく、ただひたすら現実逃避に集中できたからです。

『梨泰院クラス』は主人公が壮大な復讐のために飲食店を起業し、そこから成り上がっていく話。同じ経営者として既視感があったことが興味を持ったきっかけではありますが、とにかくジェットコースターのように激しい展開が魅力でした。大胆なストーリーにかじりついて陶酔できました。

『愛の不時着』は、パラグライダーで北朝鮮に落下してしまった韓国の財閥令嬢が北朝鮮の軍人に救助されるラブストーリー。こちらも竜巻に遭って墜落するとか、初期設定からして現実離れしていて、逃避するにはうってつけの内容です。この2本を観ている間、僕は物語のこと以外に何も考えないで済みました。ありがとう、Netflix。

そして3つめ、集中することで頭を無にできる手段として、料理は最高でした。

コロナ禍で外食ができないこともあり、僕はこの期間中にスパイスから作るカレーと麻婆豆腐をたくさん作りました。大量のスパイスを買い込み、キッチンで酒を飲みながら、無心でひたすら調合し煮込むのです。ただひたすらかき回し、優しく煮込み倒す！

ことさらカレーと麻婆豆腐にこだわりがあったわけではありません。ただもう無になる時間が欲しかっただけ。集中瞑想のような禅の世界と似ていたのかもしれません。一定の作業プロセスがあり、無心になれるものであれば何でも良かった。

長時間煮込み続けていると気持ちが平和になり、やがて余計なことを考えなくなります。そこにアルコールが入るとフワッとしてきて楽な気持ちになる。

そんな方法で、折れそうな心を守ることができました。

51パーセント対49パーセントの勝利

「考えない時間を作る」こと以外に、心が折れることなく、なんとか持ちこたえられた理由がふたつあります。

ひとつめは、先ほど述べた2019年12月の「手応え」です。ここで持てた自信、過去から蓄積された小さな成功体験、自分や組織、事業に対しての期待と希望。それがあったから、絶望的な状況になってもギリギリ折れないで済みました。

もうひとつは「みんなの期待を裏切れない」という責任感です。

倒産が頭をよぎった時、僕は考えました。仮に会社を解散して自分が無一文になっても、自分ひとりなら生きていく自信はある。多分、なんとかなるだろう。

だけど、それはアソビューに関わる人たちを裏切ることになるのではないか。従業員はもちろん、ステークホルダーの皆様、サービスを使ってもらっているゲストの皆様、サービスに登録してもらっているパートナーの皆様、レジャー施設の従業員の方々、期待を持って資金提供してくれている金融機関の皆様。みんなに顔向けができない。

誰かの期待を裏切ることで生じる申し訳なさに、とうてい耐えられない。それは重くのしかかるプレッシャーではありましたが、その一方で自分を奮い立たせ、心をたしかに保たせてくれる力でもありました。

僕の経営者としての期待や希望、義務感や使命感が、折れそうになる負の感情に少しだけ勝ちました。希望や使命感が51パーセント、負の感情が49パーセント。僅差の勝利。これによって、僕は心が折れずに会社を存続させる決意を固められたのです。

「事業の継続」と「雇用の維持」を約束する

新型コロナウイルス対策の特別措置法に基づく緊急事態宣言が4月7日に発出されることになりました。もはや、一刻の猶予もありません。

なんとかメンタルが持ちこたえられた僕は、その前日の4月6日に、全従業員をオンラインで招集しました。これからの会社方針を自分の言葉で説明しようと思ったのです。

僕は毎週月曜の朝に行われる全社集会を「軍略会議」と呼んでいます。軍略とは、兵や武器の配置といった軍事に関する戦略のこと。ベンチャー企業を経営するという戦いにおいて、大切な情報については全従業員に知っていて欲しいという思いで名付けました。

軍略会議で従業員に伝えた方針は大きくふたつありました。

ひとつめは事業の継続です。会社は絶対に畳まず、サービスは何が何でも引き続き提供し続ける。すなわち倒産もサービスの撤退もないということです。

ふたつめは雇用の維持。社員は誰ひとり解雇しない。アソビューには10年の歳月をかけ、

１３０人以上の従業員が集まりました。インターネット企業の強みは何をおいても「人」とチームの文化。大切な仲間とカルチャーを守るために、雇用の維持は厳守する！

ふたつともかなり思い切った「約束」ですが、実は実現のための計算式が完全にできていたわけではありません。

では、なぜそう宣言したのか。

単純に、社員をクビにするのは「嫌だった」からです。アソビューはたった3人で始めた会社です。全員の最終面接に立ち会って少しずつ社員を増やしてきました。だから一人ひとりに対して想いがある。そんな彼らの雇用を切るという行為が、どうしても嫌だったのです。

それに実は、不安に苛（さいな）まれていた2週間ほどの間に「こういう要素を積み上げていくと、事業の継続と雇用の維持だけは貫ける可能性があるかもしれない」というかすかなアイデアが、おぼろげながらいくつかは頭に浮かんでいました。

たとえば、エクイティ・ファイナンスによる資金調達はゼロになりましたが、デットファイナンス（銀行借入）は道があるかもしれない。

また、緊急事態宣言が出されるということは、何かしら企業に保障なりセーフティネットなりが用意されるはずです。

会社を売却する手もある。僕が自分の株を放棄し、ＶＣにも申し訳ないですが損をしてもらって、格安で会社を信頼できる企業に売却し、従業員の雇用を約束してもらう。それならサービスは継続されるし、従業員の雇用も守られるかもしれない。

あるいは、一時的な出向というのはどうだろうか……。

正確な計算式はありませんし、自信があったわけでもありませんが、要素だけはあるという状態。細かい設計はこれからやろうという腹づもりでした。

災害が起きてから「逃げろ」では遅い

つまり僕は、「社員を絶対に解雇しない」と宣言した後で、解雇しない方法を考えようとしていました。

これは無謀な見切り発車とも言えます。しかし早いタイミングで基本方針を発表し、宣言してしまったのは正解でした。

実は軍略会議の直後、従業員からはそれほど大した反応はありませんでした。まだそこまでの危機感はなかったようです。肩透かしと言えばそうなのですが、逆に言えば、みんなが不安でどうしようもなくなってパニックに陥る前に先回りできた、とも言えます。

人間は、実際に災厄や困難の渦中に居合わせないことには本当には心配しません。目に見える「今そこにある危機」がなければ危機意識は持ちづらいものです。

しかし、危機が実際に襲ってきてからでは遅すぎます。当時のアソビューで言えば、僕の中で計算式やストーリーが固まってから方針を発表するのでは遅すぎる、ということです。

災害の渦中で「逃げろ！」と叫んでも遅い。そうではなく、大災害が起こるまでの間に、「まだ危機は見えていないけど、危ないから逃げよう。僕の言う通りに動けば大丈夫」と誰かがみんなに触れ回る必要があるのです。

そうすれば、危機意識をまだ持てていない人も含めて「あぁ、そうなんだ。今はあんまり危険を想像できないけど、とりあえずあいつが言うのだから動こうか」となり、平時と同じように落ち着いて行動できます。

未曾有の災害時に、大人数の集団をA地点からB地点まで避難させなければならないとしましょう。そういう時、どちらの方向に歩けばいいのか、どこまで歩いたら何をすればいいのかといった指示は、常に早め、早めに出しておく必要があります。そうしないと、必ず誰かが道中で「俺たちはどうなるんだ？　どうすればいいんだ？」と不安を口に出し、それが伝播して集団全体がザワつく。デマを拡散させて無用の不安を煽るオオカミ少年が出現するかもしれませんし、混乱に乗じた犯罪などのトラブルの発生もあり得ます。

団体とは、群集心理とは、そういうものだと思います。

だから災厄が目に見えて襲ってくる前に、リーダーが「こっちだよ」と道をはっきり示すことが大事。率いる集団に、おしゃべりしながらダラダラ歩けるくらいの余裕を持ってもらったほうが混乱が生じません。

１００人以上の組織が動揺した時の混乱や悪影響は、ばかになりません。その前に情報を整理し、コンセプトを共有する。ですから、甘い見切り発車ではあっても、従業員が動揺しないという状態を作ったという意味で、僕の判断は正しかったと思います。

コロナ禍を乗り切るための「戦術リスト」

軍略会議と前後して、僕は頭の中で生き残りを賭けた「戦術リスト」と呼ぶべきものを作りました。「事業の継続」と「雇用の維持」を実現するために何をすればいいかのロジックです。

まず、このリストは「コロナ禍は必ず終わる」ことを前提に組み上げられています。

その前提で目的は、①事業（会社）の継続、②雇用の維持 です。そのために講じなければならない手段は「会社運営費の確保」、これに尽きます。

では、売上が激減している中で会社運営費をどう捻出すればいいのか。これにはふたつの手段があります。ひとつは「現金獲得」。入ってくるお金（新たな売上）をプラスすること。もうひとつは「コスト削減」。出ていくお金を減らすことです。

ここで「現金獲得」と同じセルに「価値貢献」も並んでいることに注目してください。「価値貢献」とは、短期的に現金が入ってくるかはわからないけど、対象顧客にとっては絶対にプラスになること。僕は、お金というのは「ありがとう」の対価として獲得できるものと信じています。すぐに現金獲得にはつながらなくても、価値さえ提供していれば巡り巡って後からお金がついてくる可能性があります。だから同項目として記載しています。

必須事項とは、対象に対する特別な施策というより、文字通り必ず実施しなければならないこと。たとえば「現金獲得」では、コロナ禍で政府が発表した企業向けの補助金を徹底活用しなければなりません。資金調達面ではエクイティ・ファイナンスができるよう継

コロナ禍を乗り切るための「戦術リスト」①

前提条件：コロナ禍が終わること

目的：①事業（会社）の継続　②雇用の維持

<table>
<tr><td colspan="3">手段</td><td>現金獲得
価値貢献</td><td>コスト削減</td></tr>
<tr><td colspan="3">必須事項</td><td>・補助金の徹底活用
・資金調達（エクイティ）
・資金調達（デット）</td><td>◦役員報酬カット
◦即時の休業1/3
◦経費の徹底削減</td></tr>
<tr><td rowspan="4">対象</td><td rowspan="3">顧客</td><td>ゲスト</td><td>・おうち体験キット
・応援チケット
・オンライン体験
Zoom似顔絵
・三密バッジ</td><td>◦広告費宣伝費カット</td></tr>
<tr><td>パートナー</td><td>・日時指定電子チケット
無償施策スタート
・感染拡大防止ガイドライン
・応援早割チケット
・給付金活用の案内</td><td>――</td></tr>
<tr><td>新規顧客</td><td>・野武士コンサル</td><td>――</td></tr>
<tr><td colspan="2">従業員</td><td>・成長機会の提供（出向）
・休業の早期解除</td><td>・出向
◦有期雇用者の
契約終了</td></tr>
<tr><td>個人</td><td colspan="4">◦ランニング　◦Netflix　◦料理</td></tr>
</table>

続的に頑張る必要がありますし、銀行からの借り入れ（デット・ファイナンス）も同じように不可欠です。直接的な「お金ちょうだい！　お金貸して！」活動です。

「コスト削減」では、経費の徹底節減も行いました。経理部門に経費リストを出してもらい、月額1万円以上かかっている経費はすべて削減候補として、代表の僕自ら1個1個チェック。観葉植物や受付を自動化するためのiPadアプリの契約などを、どんどん削っていきました。

オフィスそのものを一時的に手放してしまう、という選択肢もありました。月に数百万円の賃料はバカになりません。でも僕は、このオフィスこそが従業員の精神的支柱になるかもしれないと考え、思いとどまりました。ここがなくなってしまうと、従業員は戻るべき場所がなくなってしまうのではないか。メンバーの心の中の灯台のような存在として、オフィスは存続させるべきだと思ったのです。

また、苦渋の決断ながら、社員の3分の1に一時的に休業してもらいました。役員報酬も当然カット。これで報酬分の支出が一気に3分の1になりました。ただしあまり長い休業となると従業員の生活やモチベーションに影響してしまいますから、あくまで一時的な施策です。

施策を検討するための「対象」は大きく分けてふたつ。①顧客と②従業員です。何を実行したかは第2〜4章に譲るとして、ここでは枠組みだけ説明しましょう。

「①顧客」は3つに分かれます。「アソビュー!」のサービスを利用してくれるユーザー【ゲスト】。レジャーを提供してくれる事業者【パートナー】。そしてまだ見ぬ【新規顧客】。このうち、ゲストがアソビューサイトを発見しやすくするための広告宣伝費のカットは迷いなく即時実行しました。

「②従業員」とは文字通りアソビューの社員および有期雇用者（業務委託、アルバイト、インターン）です。残念ながら有期雇用者の契約延長ができなかった話は前述しました。では、社員の雇用を維持したまま「価値貢献」「コスト削減」を実行するとは一体どういう意味なのでしょうか？

ちょっと考えれば、これらが矛盾していることはおわかりでしょう。「雇用の維持」はもうひとつの目的である「事業の継続」にとって確かに必要ですが、同時に「会社の継続」にとって最もコストインパクトのある選択でもあります。

完全に矛盾したふたつの目的をどう両立させるか。とても難しい問題です。でも僕はそれを解決する方法に当たりをつけていました。

それは、アソビューの社員を別の会社に出向させることでした。

第1章

未曾有の危機を前に、リーダーは何をしたか

□リモート勤務でも毎日オフィスに出社し、「社長がいつも会社にいる」安心感を醸し出す
□メンタルが折れないよう「考えない時間を作る」。ドラマに夢中になる。料理を極める
□毎日10キロ、本気で走り込む。フィジカルを酷使してメンタルに十分な休息を与える
□「軍略会議」で事業の継続と社員を解雇しないことを宣言する
□コロナ禍を乗り切るための「戦術リスト」を活用し、出るお金と入ってくるお金を整える
□「事業の継続と雇用の維持」を、社員の別会社への出向で両立させることを発案する

第2章

「在籍出向」で社員の雇用を守り、会社も生き残る

「解雇」の文字が浮かぶ

時計の針を軍略会議の前に戻しましょう。

僕の不安が最高潮に達していた3月26日、小澤隆生さんから「備えは大丈夫ですか？」の連絡が来たことはお話ししましたね。

その少し前から、僕の頭の中では「社員解雇」の文字が頭をよぎっていました。頼みの綱であるエクイティ・ファイナンスが駄目になったら、もう打つ手はない。認めたくないけど、認めなければならない事実が目の前にひしひしと迫っていました。ランニング、Netflix、料理でなんとか心をキープしていたのはこの時期です。

同時期、僕は小澤さんと同じくある経営者の先輩にも、この苦境にどう対処すべきかを相談していました。その方は、過去に従業員の解雇を選択し、その後、会社を再び軌道に乗せた経験がおありでした。いただいたアドバイスの大意としては、以下のような感じです。

「従業員を解雇したくないという気持ちは経営者なら誰しもが同じ。でも、解雇しなければば会社の存続が難しいのであれば覚悟をしなければいけない。その場合、解雇する従業員から何を言われても受け止める強いメンタルが大切。解雇する人たちには手厚い対応が必要で、金銭的手当がベストだが、現状況では限度があると思うので誠意をもって臨むこと。その姿勢が残る人たちの信頼の基盤になる。ここに経営者自身のリソースのすべてを使うこと」

これを聞いた僕は、社員の半数以上を解雇するのは避けられないと考え、頭では自分自身を納得させていました。もちろん誰にも言えません。まだ僕の中だけの話です。

でも、どうやって解雇者を選べばいいのだろう。何を基準に？　今まで一緒に戦ってきた仲間を切る？

社員一人ひとりの顔が浮かびました。みんなの経歴も浮かびました。最終面接のシーンも浮かんできました。他の選択肢を切り捨てて、あるいは前職を辞して、このアソビューの未来を信じてジョインしてくれた社員たち。

そのみんなのクビを切る？

頭では納得し、それこそが会社が生き抜くための最良の選択だと思えたものの、感情では真逆のことを唱えていました。

……それは嫌だ。絶対に嫌だ！

休業は社員にも会社にもサスティナブルではない

嫌だった、としか言いようがありません。

経営者としての合理的判断は「解雇」が妥当。偉大な経営者の先輩たちも、それは致し方ないと言う。

だけど僕は、見苦しい駄々っ子のように心の中で繰り返していました。

「解雇なんて嫌だ、嫌だ……」

一時は解雇を選択しかけたものの、なんとかそうしない方法はないものかと頭を捻りました。

会社全体の「休業」はもちろん検討しました。

しかし会社は休業中の社員に対して、最低6割以上の休業手当を支払う義務があります。コロナ禍で休業した会社に支払われる「雇用調整助成金」を活用するにしても、国から会社に支給されるのは、従業員1人1日あたり8330円が上限（当時）。

計算してみましょう。例えば月給50万円の社員に休業してもらう場合、雇用調整助成金を活用しても6割補償の差額分は企業が負担するため、負担額は月あたり12万5070円にも及びます。これは結構な負担額です。

また、当社は渋谷区神宮前にオフィスを構えており、23区内在住者が多くいます。例えば月給が30万円の社員の場合は、もし差額分を企業が負担しなければ月の給与が18万程度になってしまい、家賃を引くと生活が厳しくなってしまいます。

なにより、アソビューのようにベンチャー企業に来てくれるような人は、「仕事を通じて成長したい！」という気持ちがとても強いので、仮に「半年間の休業」と期間を決めたとしても、張り合いのない日々に耐えられず、きっと辞めてしまうでしょう。

先述したように結果的に3分の1の社員に休業してもらいましたが、いつまでもというわけにはいかない……。

あらかじめ期間を決めておくならまだしも、コロナがいつ収束し、売上がいつ回復するかわからない状況下において、「休業」はまったくもってサスティナブル（持続可能）な方策ではないと思いました。

出向によって成長した自治体職員

「解雇はしたくない。でもコストは減らす必要がある」

今思えば、このシンプル極まりない問いの立て方が秀逸だったのではと思います。複雑に関係し合う多くの要素をすべて机の上にぶちまけて検討しようとしていたら、きっと頭が混乱していたでしょう。

シンプルな問いに集中して向き合っていた僕は、ふと思い出しました。以前アソビューが自治体から職員を受け入れていたことを。

僕が創業して2020年3月まで代表理事を務めた、熱意ある地方創生ベンチャー連合という一般社団法人があります。同法人はアソビューが事務局機能も担っていたのですが、実はかつて、浜松市と福岡市から職員を受け入れていました。それに倣(なら)い、アソビューでも岐阜市から職員を受け入れていたのです。

すなわち、出向です。

出向とは一般的に、会社がその従業員を子会社や関連会社などに異動させること。従業員の籍をどちらの会社に置くか、雇用契約をどちらと結ぶか、給与をどちらが払うかによって様々なパターンがありますが、岐阜市職員の場合は、

- 職員の籍は岐阜市(出向元)に置いたまま
- 職員と岐阜市(出向元)との雇用契約は解消しない
- 給与は岐阜市(出向元)が支払う

という方法でした。

これらの出向受け入れで僕がもっとも感銘を受けたのは、自治体から出向してきた職員の皆さんが、全員ものすごく成長して戻っていかれたことです。出向したばかりの頃は受け身一辺倒だった勤務態度が日を追うごとに変わり、誰もが主体的・積極的に仕事をするようになっていきました。

自治体職員の皆さんは難しい公務員試験を突破していらっしゃるので、基本的な能力は一様に高い。そういうポテンシャルのある方たちですから、働く環境がまったく変わったことで良い意味で負荷がかかり、劇的に成長したというわけです。

だったら、今度はアソビューの社員にどこかに出向してもらう方法はどうだろうか!

コロナ禍を乗り切るための「戦術リスト」②

前提条件：コロナ禍が終わること

目的：①事業(会社)の継続　②雇用の維持

<table>
<tr><td colspan="3">手段</td><td>現金獲得
価値貢献</td><td>コスト削減</td></tr>
<tr><td colspan="3">必須事項</td><td>・補助金の徹底活用
・資金調達(エクイティ)
・資金調達(デット)</td><td>◦ 役員報酬カット
◦ 即時の休業1/3
◦ 経費の徹底削減</td></tr>
<tr><td rowspan="4">対象</td><td rowspan="3">顧客</td><td>ゲスト</td><td>・おうち体験キット
・応援チケット
・オンライン体験
Zoom似顔絵
・三密バッジ</td><td>◦ 広告費宣伝費カット</td></tr>
<tr><td>パートナー</td><td>・日時指定電子チケット
無償施策スタート
・感染拡大防止ガイドライン
・応援早割チケット
・給付金活用の案内</td><td>———</td></tr>
<tr><td>新規顧客</td><td>・野武士コンサル</td><td>———</td></tr>
<tr><td colspan="2">従業員</td><td>◦ 成長機会の提供(出向)
◦ 休業の早期解除</td><td>◦ 出向
◦ 有期雇用者の契約終了</td></tr>
<tr><td>個人</td><td colspan="4">◦ ランニング　◦ Netflix　◦ 料理</td></tr>
</table>

岐阜市の場合、給与負担は出向元である岐阜市でしたが、有事において給与の支払形態は、打撃を受けている出向元企業ではなく、出向先が負担する取り決めにすればいい。そうすれば、「出向先に給料を払ってもらえることによるコスト削減」と「アソビュー社員の雇用維持と成長」が同時に達成できるじゃないか！

アソビューの従業員のポテンシャルは疑いようがない。彼・彼女らにしかるべき環境を提供すれば、必ずや成長して戻ってきてくれるはず。

逆境の中で思いついた、会心の一石二鳥アイデアでした。

出向先は「ピボット」で考える

では、一体どんな企業がアソビューの社員を受け入れてくれるでしょうか。言うまでもなく、この出向によるメリットはアソビューだけでなく、出向先も十分に享受できなければなりません。

インターネット上でサービスを提供するアソビューは、いわゆるＩＴベンチャー企業です。となると普通に考えれば同業他社、すなわち他のＩＴベンチャー企業への出向をまず検討するのが自然でしょう。

しかし僕は、必ずしもそうでなくても良いと考えました。業種や職種、あるいは企業の規模感が違ったとしても問題はないはずなのです。なぜでしょうか。

理由のひとつは、岐阜市の職員がそうだったように、ある程度の能力のある人であれば、職場環境の劇的変化は自身の成長につながる、むしろプラスになるから。

そしてもうひとつは、その人が秀でている能力を〝軸足〟に据えさえすれば、ピボット（軸足を中心にした回転）範囲内での仕事なら十分に活躍できるはずだから。

たとえば対人コミュニケーションや提案能力に長けている営業系職種の経験者であれば、同じくそれらの能力が役立つカスタマーサポート職や広報職でも活躍可能です。業種や職種が同じであることにこだわる必要はありません。

僕はこのことを、前職リクルート時代のＨＲ営業と、アソビュー草創期に請けていた人材コンサルティングの仕事で学びました。転職は必ずしも同業界同業種・同職種でなくてもいいのです。

採用まで見られている経営者の方や、そもそも人事の方なら、これに異論はないでしょう。

以前、こんな話を聞いたことがあります。営業職の人材を採用しようと社長自ら何人も面談を重ねていたが、同業種の転職希望者には良い人がなかなかいない。そこでもう少し採用のレンジを広げて募集をかけたところ、面接でうってつけの人材に巡り合う。履歴を聞くと前職はキャバクラ勤務だった、と。

接客業の経験がある人は、人の話を聞くのがうまく、盛り上げるのも上手。そこに数字的な感覚や業務の枠組みさえ当てはめられれば、誰よりも顧客のニーズを引き出し、提案し、数字を積み上げることができる、敏腕セールスパーソンになれるのだと。

これは体験談ですが、僕が経験した仕事で、求人広告の新規開拓営業がありました。当時は担当エリアのビルにすべて飛び込み営業を行う通称「ビル倒し」という手法がまだ存在していましたが、同僚で前職が消防士という方が実績をあげていました。

飛び込み営業は文字通りアポ無しで勝手に人様のオフィスに飛び込みをして営業するので、場合によっては相当怒られます。ゆえに、メンタル面でのタフさと勢いが極めて重要です。消防士には、火事という自らの危険と隣り合わせの状況の中でも、人を助け、街を守らなければならないという強靭なメンタルが必要です。また、火事場での思い切りは想像を絶するものがあるのではないでしょうか。そんな経験から比べたら、担当エリアのすべてのビルに勢いよく飛び込んでいく程度の業務なんて至極簡単……と言えるのかもしれません。仮に怒られたところで、火事よりはマシなはずです。

つまり経験に基づくスキルの軸足さえぶれていなければ、業界や職種がまったく異なる仕事に対しても、ピボットの範囲内で能力を発揮できるのです。

アソビューメンバーの強み、個々人のスキル、あるいは考え方。彼らの誇るべき「軸足」さえ僕がちゃんと把握していれば、いかようにもピボットの選択肢を設定できるはず。

少しずつ光明が見えてきました。

2020年3月29日、大逆転への夜明け

とはいえ、この緊急事態の中、果たして人員を受け入れてくれるような会社があるのでしょうか？　実はこれに関しては心当たりがありました。なぜなら、僕らを含む旅行・運輸・外食・イベントなどの業界が大打撃を受けている中、むしろ追い風の業界や業績好調の会社もあることが、ちらほらと耳に入っていたからです。

たとえば、小売業界ではスーパーやドラッグストアがそれに該当しました。ＩＴ業界では、巣ごもりの増加からＥコマースや、リモート業務で活用するＢｔｏＢオンラインコミュニケーションのサービス（ビデオ会議サービス等）、ＰＣ用品やワークチェアなどの売上が伸びていましたし、医療業界・物流業界なども人手不足でした。

つまり、この状況下でも利益を落としていない企業、あるいは急に人手が足りなくなった業界は確実に存在する。ということはマッチングさえうまくいけば、人手が余っている会社と人手が足りない会社で需要と供給が一致し、出向が成立するはずです。

ただ、それも僕の楽観的な妄想、机上の空論かもしれません。社員の前で悠々と語れる自信は、まだその時点では皆無でした。

それに、社内外問わず誰かにアイデアを明かして相談したところで、もし「それ全然ダメ。現実感ない」なんて冷たく言われたら、かすかな希望がなくなり、決してメンタルの強くない僕は凹んでしまうかもしれない……。

悩んだ末に、一番親身に話を聞いてくれるであろう友人にアプローチすることにしました。日本最大級のクラウドソーシング仕事依頼サイトを運営する「ランサーズ」の創業社長、秋好陽介（あきよしようすけ）さんです。僕と彼は先述した熱意ある地方創生ベンチャー連合の共同創業者兼、共同代表でした。

２０２０年3月29日、日曜日。秋好さんをランチに誘いました。あの時はまだ緊急事態宣言前でお店が開いていたのです。

僕は秋好さんに会社の危機的な状況を包み隠さず打ち明け、ランサーズはコロナ禍でも事業に影響ないよね？　と話を振ってみました。フリーランスへの仕事発注はオンラインで完結する。すなわちリモートワークが増えてオンライン化が進めば進むほど、むしろプラス業績なんじゃないの、と。

すると秋好さんは言いました。

「コロナで業績のプラスやマイナスはほとんどないけど、従業員は絶賛募集中だよ」

絶賛募集中！

僕は出向のアイデアをさわりだけ、手早く秋好さんに話しました。すると彼は細かいスキームの話までしないうちに、こう言ってくれました。

「その考え、めっちゃいいじゃん。うちが何人か受け入れるよ」

やった！

秋好さんはこうも言ってくれました。アソビューのマインドを持った人がランサーズに来てくれたら、きっとランサーズのメンバーも刺激を受ける。アソビューとしても、社員が出向を終えて戻った時にランサーズで学んだことをインストールできればすごくいい。

お互いにとって素晴らしいスキームじゃないの、と。

僕は感謝とともに興奮を抑えられませんでした。それならば他の会社でもきっと需要があるはず！

3月26日に社員の半数以上の解雇を選択しかけていた僕は、その3日後には「出向しかない」という意志を固めました。

3月29日が、言ってみれば僕の「大逆転劇への夜明け」だったのです。

1週間で10人の受け入れ先を確保

腹を決めたとは言え、この時点ではランサーズたった1社に口頭で言質（げんち）を取っただけ。他の出向受け入れ企業探しや決めなければいけないスキームづくりなど、やることはたくさんあります。

また、出向はあくまで「会社から出ていくお金」の削減プランであって、減った売上を取り戻すプランではありません。つまり僕の肩には、「どうやって新規の売上を確保するか」という、非常に難易度の高い別の課題も同時にのしかかっていました。

とはいえ、一番自分が手をつけたくない、かつ一番インパクトのある給与支出の領域がなんとかなるかもしれないという算段が立ったことで、心理的にはとてもラクになりました。それにより、出向先探しや新規売上の思案に前向きな気持ちで取り組めるようになったのです。

そうと決まれば具体的な出向先探しです。僕は早速、出向のルールを策定していきました。おおまかに①〜③です。

①費用負担
出向先が負担
元々の月収を基本とする（＋法定福利）

②出向期間
1年間（試用期間3か月）

③帰任時の条件

出向者・出向先の意向が前提で転籍可（引き抜き可能）

※引き継ぎ期間を考慮して最大3か月の延長可

これはいわゆる「在籍出向」と呼ばれるもの。出向元の企業の従業員としての籍を残したまま、他の出向先企業で働く形態をとります。雇用契約は両社で持ち、業務遂行における指揮命令権があるのは出向先。つまりアソビューは基本は口出しできません。

まず①についてですが、在籍出向は費用負担（給与支払い）を出向元が行うことが一般的ですが、今回は「災害時に一時的に雇用を維持できない企業と、災害時だからこそ一時的に雇用を必要とする企業間」での施策のため、費用負担は出向先の負担としました。

これが「派遣」と何が違うかと言えば、「営利目的の事業として人材の提供が行われていない」点。つまり、本取り組みにおいて紹介料や仲介手数料などの利益は発生せず、あくまで雇用維持を第一義とした非営利活動というわけです。

②を決めるにあたっては、僕自身の経営の経験と出向受け入れの経験がそのまま役立ちました。

会社が社員教育にかけたコストを回収できる実感が湧くのが、入社からおおむね1年後。3か月では何もできず、半年くらいで自立的に仕事ができるようになり、残り半年の成果で出向先に貢献できます。当然ながら災害時の雇用維持に名乗りを上げてくれた出向先企業にはメリットを提供しなければなりませんが、当社の優秀な社員であれば、1年で十分に利益貢献できるだろうと踏みました。

③は出向期間が満了する際に出向先企業と出向者（アソビュー社員）の双方が合意すれば、転籍を可能にするという取り決めです。それを阻止する権限はアソビューにはありません。

今回の施策はとにかくスピードが大事です。1日でも早くコストを削減し、かつ、社員にやりがいのある仕事を提供する必要がありました。そのためには出向先企業の合意を早期に取り付ける必要があります。

「1年間働いてもらって、もし両想いだったらその人材をそのまま採用できる」

これは受入先企業にとって、なかなかいい条件ではないでしょうか。

後述しますが、「出向先への転籍可」はかなり思い切りました。アソビューからすれば、1年後に優秀な人材が流出するリスクを負うことになるからです。共感度の高いアソビューの社員が1年間も別の会社で働いたら感情が移ることもあるでしょう。雇用を守るために講じた施策で退職されてしまったら、会社にとっては大きな痛手となります。

しかし何度も言いますが、喫緊の第一目的は今、まさにこの危機を乗り切るための「雇用の維持」。そして成長機会の獲得。背に腹は代えられません。とにかく1日でも早く、

1社でも多く出向受け入れ先（社員にとってのできるだけ多い選択肢）を確保する必要がありました。

今まで培ってきた経営者ネットワークや経営陣のツテを頼り、約1週間で複数企業から10人の社員に対して「一度面談したい」と内諾をとることができました。その時点でまだ出向者を確定していたわけではありません。ましてや本人にも伝えていません。本決まりではなく、アタリをつける段階ではありましたが、確かなる手応えは感じました。

出向基準をオープンにする

とはいえ、実際に出向メンバーの選定は頭を悩ませました。社員から「なぜ僕が／私が出向しなければならないの？　会社に残れる人もいるのに……」という反応が出るのは当然だろうと予測していたからです。平時の際の出向なら、「異なる経験を通じて成長する機会」といった特別感をもって受け取られるでしょうが、この状況下では、ともすれば「僕／私はお払い箱？」という負の感情が先行するリスクもある——。

ですから出向対象者をどのようにして選んだか、その基準をオープンにすることが肝要でした。以下に説明しましょう。

まず、社員を3つのグループに分けます。

①既存事業を最小コストで安定稼働させられる人
②新事業で売上を獲得できる人、納品できる人
③それ以外の人（出向候補者）

①は最小コストで現行のサービスを継続的に運用できる人。具体的にはサービス運営に必要な業務をひとりでふたつ以上こなせる人。

②は既にある定型化された業務ではなく、まったく新しい非定型業務によって売上を獲得、あるいは納品してきた経験のある人。

③は①②に該当しない人。

強調しておきたいのは、決して社員個別の「評価」とか「期待」とか「成長ポテンシャル」などで選別したわけではない、ということです。選別の判断基準になっている個々の能力は「期待能力」ではなく「発揮能力」。できそうかどうかではなく、その人が過去に発揮した「事実」に基づきグループ分けをしたにすぎません。ましてや、代表である僕やそのメンバーの上司の「感情」は一切差し挟まれていません。

こうして書くと、そうは言っても結局評価をしているのは①と②の人なんでしょ？　という反論があるかもしれませんね。

でも、答えは「場合による」です。付け加えると、人それぞれ状況に応じて価値を発揮できる場合とそうでない場合があり、それはすべて個々人の強みなので、感情だけで言えば全員大事ということです。

①の人は言い換えるなら「ユーティリティプレイヤー」です。いろいろなことを器用にこなす能力が高いので、事業の立ち上げ期などに力を発揮します。しかし、会社が成長・拡大して事業ごとの専門性が分かれていくと、次はひとつの専門性を極めた人にも力を発揮する機会が生まれます。コロナ禍という非常時においては、少ない人手で通常業務を回す必要があったので、①の人材が活躍しやすい状況でした。

②は決まりやルール、固定化された業務にとらわれずに活躍できる人です。今までのルールが通用しない状況下で売上を積み上げていく必要がある場合において、頼りがいのあ

る経験を持っています。スポーツ競技での強さより、ジャングルで生き抜く力がある人。そんな人材です。
③は①②には該当しない人。専門性に長けた人もいれば、定形化された業務を精度高く安定的にこなせる人もいます。人事や経理などといったコーポレート部門のメンバーもここに該当します。会社の事業が固まり、継続的な成長を遂げている時期に不可欠な人材です。

会社というのは当然、成長局面もあれば安定局面もある。それも事業ごとに。だからこそ①②③の人材がどれも欠けてはなりません。コロナ禍を乗り切るという今回の局面ではたまたま、①②の人が会社に残り、③の人が出向するという決断に至りました。

会社が生き残るという目的を達成するための計算式を立てたらこうなった。感情ではなく、ここはロジックの追求。論理を突き詰めた結果なのです。

『キングダム』の「蕞の戦い」で提示されたビジョン

僕が出向者の選定と通達に際してもっとも大事にしたのは、「ビジョンの提示」です。

『キングダム』（原泰久・作）という漫画があります。古代中国・春秋戦国時代末期を舞台にした作品で、中国の天下統一を果たした始皇帝と彼に仕える将軍・李信を主人公とする一大歴史アドベンチャー。僕の大好きな作品です。実は「軍略会議」という名称の出どころでもあります。

その中の「蕞の戦い」では、諸国の合従軍が王都・咸陽に迫り、秦国が危機を迎えます。王である嬴政（のちの始皇帝）は、咸陽の手前にある蕞で籠城戦をすると決断。しかしそうなれば、兵士ではない蕞の民衆も戦闘に参加しなければなりません。

嬴政は民衆の前に立ち、「蕞で敵を止めねば秦国は滅亡する」と言って檄を飛ばします。

この蕞が敵軍を止めることができる最後の城だ
恐ろしいのはわかる

だが、そなたらの父も
またその父達も
同じように血と命を散らして今の秦国を作り上げた
今の生活はその上に成り立つ
敗れれば今の秦国はすべて無に帰し
秦の歴史はここで途絶える
それを止められるのはそなた達だけだ

　すると人々はひとり、またひとりと立ち上がって戦うことを決意するのです。嬴政が「最後まで戦うぞ　秦の子らよ　我らの国を　絶対に守りきるぞ!!」と叫ぶと、士気の高まった民衆は「ウオオオオオオ」という鬨（とき）の声で応えるのでした。

　暗記するほど『キングダム』を熟読している僕は、人々の心を動かすためのビジョンとそれを伝えるための檄がいかに大切かを、胸に刻んでいます。

　ただ、ビジョンを達成するには、可能性としてつらい結果も待ち受けています。この蕞の戦いで大王も受け入れていた「民の犠牲」です。「大義のために犠牲が生じる可能性がある」ことも覚悟しなければなりません。そんなリスクをも受け止めた上で、トップがみんなに納得してもらうためには当然、それだけの大義あるビジョンを共有する必要があります。ここでは「祖先たちが作ってきた国を守る」という大義がビジョンでした。

これは籠城戦であると伝える

確固たるビジョンがあれば、そのビジョンのもとにみんなが集まってくれる。では僕がここで提示すべきビジョンとは何か。

他でもない、アソビューのミッションである「生きるに、遊びを。」が実現する社会的大義です。僕は従業員にこう訴えました。

アソビューという会社は世の中になくてはならない会社だと、僕は信じている。

我々のミッションは「生きるに、遊びを。」

「遊びを通じて幸福を実感する機会を増やす」というこの想いは創業以来変わっていないし、これからも変わらない。

今は有事だが、この状況は必ず終わる。

終わった瞬間に、我々の作っているサービスを必要とする人たちがたくさんいる。

我々の創出する「遊びの機会」は必ず生活の基盤に戻ってくる。

むしろコロナ禍においては、「いつかまた遊べること」自体が希望となって皆の生活を支えていくはずだ。

だから我々はサービスを続けなければいけない。

そのためにもみんなの雇用を絶対に守り抜かなければならない。

その手段のひとつとして、出向が必要なのだ。


僕はこの言葉とともに、軍略会議直後のSlack（社内コミュニケーションツール）にこんな想いを書きつけました。

「この戦（いくさ）は『生き残れば勝ち』なんだ。『墓の戦い』では山の民が秦の救援に来て形勢を逆転させ勝利した。我々にとっての山の民すなわち『需要の復活』は必ず来る。それまで一致団結して、総力戦で、1日でも長く籠城して絶対に生き残ろう」

なお、『キングダム』はアソビューのオフィスにも全巻常備されており、従業員には読むことを推奨しています。決して自分の好きな漫画を強要しているつもりはありませんちゃんとあります。

（笑）。僕が大好きだからなのは間違いないのですが、みんなに読んでもらいたい理由はちゃんとあります。

それは、社内のコミュニケーションの解像度を高めるためです。

相手の意図を理解するには、テキストや言葉だけでは足りません。たとえば、頑張らなきゃいけない時に「どれくらいの頑張り」を必要としているのかを伝える必要があります。「蕞の戦いくらい頑張らないと」と説明すれば、読者ならばことの重大さが一瞬で、かつ最深度で伝わります。

蕞の戦いは亡国の危機であり、絶体絶命の大ピンチです。ああ、それくらいヤバい状況での頑張りが必要なんだ、と瞬時に理解が及びます。

メンバー全員が共通認識を持つための、ビジュアライズされたコンテンツとして、『キングダム』という物語はとっつきやすい。活字が苦手な人も漫画ならついてきてくれる。だから読んでくれ、ということなのです。

出向受け入れ先が80社にも及ぶ

出向者がどれだけの人数規模か、初期段階で精緻に計算していたわけではないですが、最悪の事態を想定すると、出向先の選択肢はもっと必要だと思っていました。そこで僕は4月21日と22日に、会社のホームページではなく僕個人のnoteで、出向先企業を募るエントリーをそれぞれ書きました。タイトルは、

「緊急提言：災害時雇用維持シェアリングネットワークの必要性」

「急募：災害時雇用維持シェアリングネットワークの参画企業を募集します！」

通称「雇用シェア」。このエントリーはツイッターをはじめとしたSNSでかなりシェアされました。いわゆるインフルエンサーと呼ばれるような僕の知り合いたちが、「友達がピンチっぽいぞ！」という感覚で拡散してくれたのです。

その甲斐あって、最終的にはなんと80社にも及ぶ企業から手が挙がりました。

通常の中途採用と違い、とにかくスピードが大事。ですから受け入れの進め方はなるべく簡略化しました。

受け入れ企業に提出した書類

写真	名前（なまえ）	山野智久（やまのともひさ）
	生年月日	1983年5月9日
	最終学歴	明治大学法学部法律学科 2007年卒業
	給与	342,000円（現給与30万＋法定福利費14%）
	職歴	①株式会社リクルート 2007年～2010年 営業・サービス企画 ②アソビュー株式会社 2011年～ 営業・企画・マーケ
	推薦コメント	営業交渉に力を発揮します。商談相手とすぐ仲良くなります。 涙もろく、会社の集合機会ですぐ号泣する心の優しいメンバーです。

出向者から受け入れ企業に提出する書類は簡易レジュメのみ。こんな感じです（上の図）。すごく簡素ですよね。

カチッとした履歴書・職務経歴書の準備には大きな労力がかかるため、有事の際、足かせになります。会社から出向を求められた従業員としても、気持ちの整理が付けづらく筆が進まないこともあるでしょう。

出向者の資質（軸足）は僕や各上長が把握していますし、その人材がマッチングしそうな企業の絞り込みも行った上でのことですから、簡易的なもので十分なのです。

面談も簡略化し、実務責任者による1回だけにしました。

なお、社員と出向先とのマッチングに際しては、「出向者が成長できること」を重視しました。社員が恐れていたのは、会社が存続しなくなることは当然として、自身の成長機会が奪われることでしたから。

では、成長機会を提供するためにはどうすればいいか？

それは筋トレと同じく「適切な負荷がある環境」を本人に提供することです。「ＩＴ業界内だが異なるテーマ」「異なる業界」「異なる成長フェーズ」、あるいはそれらの掛け合わせを負荷のある環境と定義し、以下のように出向先企業を選定しました。

○ＩＴ業界・異なるテーマ

ランサーズ（人材）
メドレー（医療）
Chatwork（ビジネスツール）
弁護士ドットコム（法律）
トラストバンク（ふるさと納税）

○異なる業界

石井食品（食品メーカー）

ウェブシャーク（輸入販売）
アークレイマーケティング（医療メーカー）
木々家（飲食）

○異なる成長フェーズ

Sparty（創業期）
アミュージアムパークス（創業期）
zehitomo（創業期）

社内へ論理的な説明をし、受け入れ企業の選定も完了。出向はトントン拍子で進みました……だと良いのですが、そう簡単にはいきません。予想外の反応が待ち受けていました。

最初の出向候補者からの涙の電話

会社として最初の面談は、僕が仕事で直接関わりのある従業員でした。これから始まる長い出向面談のマラソン。その後の出向者の指針にもなるわけですから、お手本となる案件にすべきです。

そのXさんは人事部門の所属。人件費が会社の運営にどれだけインパクトを与えているか、また人がどれだけアソビューにとって大切な存在かは、誰よりも理解してくれていると思います。さらに、売上が立たない有事において、人事に平時のような仕事がないことは当事者として知っています。加えて、Xさんと僕は前職が同期であり、昔から親交がありました。

僕はXさんに皆のロールモデルになってもらうつもりでした。強い当事者意識を持って会社の状況を理解できている社員として、明るく元気に雇用シェアの一番バッターとなって出向先で活躍してもらおうと考えたのです。もちろん、1年後に帰ってくる前提です。

事前に相手先の社長にレジュメを渡して了解を取り、Xさん本人にも了承の確認を取り、僕から相手先の社長と直接コミュニケーションをして、あとは顔合わせの面談だけ。最初なので丁寧にことを進めようと思い、僕も同席し、顔合わせはスムーズに進みました。

良かった。幸先（さいさき）がいい。きっと他の面談もうまくいくだろう。

僕が安堵していると、帰り道にXさんから電話がかかってきました。

取ると、Xさんが泣いているではありませんか。

「なんでこんなことしなきゃいけないのか、わからない……」

ええっ！

気丈に振る舞っていたXさんですが、様変わりした生活環境と会社の状況、圧倒的なスピードで進む出向の話に、本心では不安を抱いていたのです。

その直後、出向先の社長からも電話がありました。

「山野さん、ごめん。すごくいい方だけど、さっき電話してね。どうも、心の準備ができてないみたい。望まない出向ならやめたほうがいいと思う。今回は縁がなかったことにしよう」

こちらから受け入れをお願いしておいて、迷惑をかけてしまったにもかかわらず、その社長は一切怒ることもなく丁重に辞退してくれました。

正直、僕は混乱していました。

「軸足とピボット」の話で言えば、Xさんとその会社はベストマッチングに近いと思っていたからです。出向先で求められる業務はXさんがアソビューで従事していた経験で十分対応可能であり、さらにXさんが堪能な英語を活用できる仕事。スキルが完全に活かせる環境でした。

会社の状況をよく理解していた社員のひとり。そして友人のひとり。なのになぜ……と、僕はショックを隠しきれませんでした。全員の雇用を維持するために、藁にもすがる思いでひねり出したウルトラCとも思えたアイデア。不眠不休でツテをたどってなんとか見つけ出した、ベストマッチだろうと思っていた出向先。この時ばかりは正直「なんだよ……」とショックを隠しきれませんでした。

しかし、これは完全に僕に落ち度がありました。

既知の仲だから当然理解してくれているだろうという甘え。完璧なロジックで出した経営判断なのだから、当然納得してくれているだろうという思い込み。

でも、実際に職場を変えて働くのは生身の、繊細な心を持つ人間です。ロジックだけじゃない感情がある。それに寄り添えていなかった。

仮に同じスキルを活かせて同じ待遇だったとしても、どうしたって働く会社はアソビューではありません。来週から通うのは別の職場であり、別の会社なのです。それ以上に、彼女がどれだけの覚悟を持ってアソビューに参画してくれたのか、その想いに対する感謝やリスペクトを、僕はちゃんと伝えていなかった。

そこに、もっとちゃんと配慮するべきでした。「会社を存続させねば」という強い使命感と目が回るほどの忙しさ、さまざまな心理的プレッシャーに気を取られ、細かな対応ができていなかったのです。

雇用シェアという施策自体が間違っていたとは思いませんが、これは経営者として考えることの多い一件でした。

この会社になんとなく来たんじゃない。想いを持って来た会社だからこそ、一時的にであれ、離れることの葛藤は半端じゃなかったはずです。一筋の光が見えたと思ったのもつかの間、僕はなんて難易度の高い手段を選択してしまったんだと思い知りました。

なお、Xさんのその出向話はなくなりましたが、後日、納得の上で別の出向先に行き、大活躍した後に、出向先に惜しまれつつも最短の半年で戻ってきてくれました。ありがとう、Xさん。

消された深夜のメッセージ

ある日の夜中1時半頃、出向対象であるZさんから、ピコーンと僕宛てにメッセージが届きました。Zさんとは仕事で直接関わる機会は少ないため、普段はめったに個別メッセージを送ってきません。

僕は別の仕事をしていたのですが、通知でメッセージの書き出しが少しだけ目に入りました。そこには「夜分にすみません」から始まる、かなり重たそうな文面の一端が見えました。出向に対する強い要望のようです。

ダメだ、今読んだらたぶん眠れなくなる。精神的にダメージを受ける気がする。

直感的にそう感じた僕は、申し訳ないと思いながらも、その日は開封しないで、翌朝じっくり読むことにしました。

翌朝、起床。メッセージをチェックしました。

……あれ？

……消えてる？

Zさんがメッセージの削除をしたようです。思い直したのか、深夜テンションでの文面を読み返して適切じゃないと思ったのか。

いずれにしろ、気になります。

その数日後、担当のマネージャーから会議で情報共有がありました。

「どうやらZさんが体調を崩しているようで……。元気がないんです」

メッセージの件が関係しているのではないか？　ただ、僕は結局読めていません。憶測だけで何か言うのはやめて、様子を見ることにしました。

ああ、胃が痛い。

その3日後くらいでしょうか。ついにZさんからメッセージが再送されてきました。おそらく書き直したか、推敲していたのでしょう。

おそるおそるメッセージを開けると、ものすごい長文。かいつまむと、こんな感じでした。

「夢を持って、親も説得してこの会社に入ったのに、こんな扱いをされて酷い。悲しい。夜も眠れない。あんまりじゃないか」

感情ではなく、ロジックの話だ

Zさんの気持ちを受け止め、僕は深呼吸しました。そしてじっくり、誠意と愛情を込めて、こんな返信を綴りました。


あなたが志を持って入社したこの会社のミッションは、もちろんわかっているよね。あなたはそれに共感して来てくれた。

僕はコロナで会社をなくしたくない。続けたい。あなたもそういう気持ちのはず。

だから、みんなでやらなきゃいけないことは、晴れてコロナが収束した時にまたみんなが集まって、サービスを提供できる状況を作ること。

そのためにはなんとしてでも、サービスの継続と雇用の維持を実現しなければいけない。

それを成功させるための大きな手段、それが出向。

ここまではOKだよね？

あなたは「自分は評価されていないのではないか」「愛されていないのではないか」「こ

んなはずじゃなかった」と思っている。僕、もしくは会社から承認されていないと思っているのかもしれない。

そんな気持ちにさせてしまったことは本当に申し訳ないことだけど、そんなわけはない。あなたの気持ちは痛いほどわかる。だけど僕は、今回の人選について感情のことは一言たりとも言っていない。

僕がしているのはロジックの話。生き残るための戦術として1円でも多くキャッシュを確保しなければいけない。でも既存の事業がとても厳しい状況にある。

だから会社には、「既存事業を最小コストで安定稼働させられる人」と「既存事業以外の方法で利益を獲得できる人」を残す。それ以外の人は出向を模索することで、この有事をなんとかみんなで乗り越えていきたい。

僕はあなたが信じてくれたミッションを実現するため、有事を生き残るためのロジックの話をしている。僕の感情や、ましてや評価の話ではない。

どうか理解をしてほしい。

実は、Zさんに出向してもらおうとしていた会社はランサーズでした。僕はランサーズと出会った経緯を詳しく書き、そこにこう続けました。

一見すると、彼らがやっている人材領域と我々のレジャー領域は全然違うもの。だからあなたは「全然違う会社に行かされる」と思うかもしれない。

だけどアソビューとランサーズは、「地域を元気にする」という志を持って一般社団法人を共に立ち上げ、長らく一緒にやってきた兄弟のような会社。共にインターネット、テクノロジーという手段を信じている会社。

この世界で、この世代で、近しい価値を提供しようとして頑張っている2社の思想はとても近い。

いろいろな人が、いろいろな会社に出向に行く。それらの会社の中でも一番僕が知っている経営者がランサーズの秋好社長。僕は彼に絶大な信頼を置いているし、頼れる相談相手でもある。

僕はあなたの経験とスキル、価値観を理解しているつもり。だからこそ、この会社に行って活躍してもらいたいと思った。君ならきっとできる。だからこそ自信を持って勧めている。

ただ、それでもこの選択肢を受け入れられないなら、その時は本当に残念だけど、アソビューを辞める判断も受け入れる。もう一度よく考えてみてほしい。

しばらくしてZさんから返事がありました。

「山野さんがそんなに気にしてくれていたこと、本当に嬉しいです。こんなに深い想いがあるなんて。頭ではわかっていたけど、忘れかけていました。がんばります！」

本当に、良かった。

僕が書いた文面は、軍略会議で発表した内容を個人宛ての文章として書き換えたものにすぎません。

だけど、軍略会議でビジョンがZさんに伝わっていなかったことについては、僕に責任があります。

大事なことは一度言っただけでは通じない。だから何度も何度も伝える努力をする必要があります。そこに必要なのは、何度言ってもぶれないだけの裏表のない強い信念。それをちゃんと一人ひとりに伝えていくこと。

幸いなことにZさんは理解してくれました。

人間は論理だけで生きていない。論理的に成立していようが、隙のない完璧な計算式を提示されようが、納得できないこともある。割り切れない、納得できない感情をぶつけて、それで返ってきた言葉によって、ようやく飲み込めることもある。

Xさんと Zさんの件で改めて痛感し、反省しました。

たまたまXさんとZさんは、直接僕に気持ちを伝えてくれた。でもきっと、このふたりだけじゃない。出向を引き受けてくれた社員の中にも、思い悩んだり反発心を抱いたりした人がいたことでしょう。

XさんとZさんのことで、僕は経営者として大切なことを教えてもらえた気がします。

「スナックともこ」開業

出向が続々と決まったあともさまざまな施策を打ってはいましたが（第3章、4章参照）、4〜5月のうちは、まだ売上がまったくと言っていいほど立っていない状態でした。

4月のうちは皆がパニックになる前に僕が先回りをして、出向をはじめ矢継ぎ早に手を打っていました。が、5月になるとさすがに従業員が気づき出します。

「なんか社長がすごく動いてるんだけど、うちの会社、ヤバいんじゃない？」

こうして従業員の間に不安が広がり始めました。

ちょうど世の中もそんな感じだったと思います。GWもろくに外出できない中、従業員の間では公私ともにフラストレーションがたまっていました。このままではいけない。

そこで僕は、オンライン飲み会を開くことにしました。

とにかく不安な人、会社が大丈夫かどうか社長の顔を見て確認したい人。そういう従業員に対し、カジュアルなオンラインでの飲み会という形式を利用して、「大丈夫。戦術はあって、それを粛々と進めている」と伝えたい。今会社がどういう状態で、何が起こっているのか。ちゃんと情報を開示して安心してほしい。そう思いました。

なぜ1対1の面談形式ではなく多人数としたのか。1対1だと僕の圧が強すぎて、たいがいは引かれてしまうからです（笑）。コロナ前はときおり従業員を誘って数人で飲んだりしていましたが、いつも僕だけが多くしゃべってしまいます。ですから、僕ひとりに対して4、5人くらい束になってくれたほうが、バランスがちょうどいいのです。

また130名を超える従業員一人ひとりと直接1対1で話すことは物理的には難しいので、これくらいの規模感が最少人数として現実的だったという側面もあります。

会社の会議ではないので、もちろん参加は自由です。僕が勝手に「お店」を出す日を決めるから、「来店」したい人だけ来てくれればいい。

ヒントは、とある経営者の先輩が「勉強になるから」と招待してくれたZoomスナック。参加してみて気づいたのは、楽しめるかどうかはとにかくママの力量次第であること。ママの回し方でお客さんの満足度が大きく変化する。回しがうまければ、オンラインであろうと客はひとりで来ても十分に楽しめるのです。

僕はもともと登壇イベントなどでもファシリテーターを引き受けるのが好きなので、来てくれたメンバーを「お客様」としてもてなし、ママのようにファシリテーションしてみんなにしゃべってもらい、満足して帰ってもらう。その形式だったらいけるのではと思いました。

スナックだけに、僕の名前をママの名前に見立てて「スナックともこ」として開店しました。

会の出だしの一声は、みんなが構えてしまわないように、わざとキャラを変えて、こんな感じです。

「はぁーい♥　みんな、集まってくれてありがとねん」
「今日は社長じゃなくて、ママのともこよ」
「○○クン、△△さん、□□クンの順で、ちょっとそれぞれに自己紹介してもらってもいいかしら？」

「スナックともこ」開宴

自己紹介が1周回ったら、「あなた最近何してるの?」と振る。参加者の中には、出向先の愚痴を溜め込んでいる社員もいれば、逆境の中で毎日気を張っている社員もいます。リモートワーク中ですから、飲み会どころかリアルで雑談する機会もないので、こういう場でしか社員同士がカジュアルに話す場がありません。「スナックともこ」はそのガス抜きの場所でもありました。

午後8時半頃開店して、11時過ぎに閉店。盛り上がったら12時を越えることもしばしば。まあまあ長い営業時間です。そんな会を5月の中旬から10回近く開催しました。前もって予約台帳を作り、先着5人まで来店可能(スナックだから、大人数は入れません)とアナウンスしたら、意外にも(?)ちゃんと人気でした。

参加メンバーのひとりが「楽しかったから同じメンバーでもう1回やりたい」なんて言ってくれたこともありました。結局、のべ30人近くが来てくれました。

リーダーは平時と有事でふるまいを変えるべき

「スナックともこ」は僕自身も楽しんでいましたが、「プライベートの飲み会」という気分では一度も向かいませんでした。仕事だと思って、社長としての責任を果たすべくやっていた、というのが本音です。

開店日の僕は午後8時に会社を出て、自宅近くのモスバーガーでチキンとオニオンフライを買い込み、家でハイボールを作ってスタンバイ。日中の仕事と夜のお仕事、ほとんどダブルワーク状態でした。

あえてドライな言い方をしますが……僕が「スナックともこ」を他の業務を押しのけてでもあの時期に開催していたのは、ひとえに「重要度が高い」と判断したからです。

僕は「コロナ禍を乗り切るための『戦術リスト』①」に「顧客」ともうひとつ「従業員」も並べています（P.39参照）。

彼、彼女らは会社を存続させるための大切な存在。従業員がダメになってしまっては会社の存続はありません。これはもう、絶対に。

であれば、メンバーにとって多少の気晴らしでもガス抜きでも何でもいいから、少しでも鬱屈したものが軽くなるならば、経営者として時間を投資すべきだと思いました。

会社のオンライン飲み会と聞いて、「うわ、プライベートの時間に上司からのコミュニケーション、ウザっ」と感じられる方もいると思います。

それはよくわかります。自分が所属している会社のリーダーがプライベート空間に介入してきたら、場合によってはたしかにウザい。僕だってプライベートは必要ですし、飲みたい時は自由にやらせてほしい。

でも、そう思えるのは、何事も心配のない「平時」だからです。

空は青く空気がきれい。お花畑が素敵に咲き誇り、蝶々たちは美しく、バスケットにはパンもバゲットもワインもチーズもいっぱいある。そんな平時にリーダーが「やぁ、みんなー、一緒に遊ぼう」って寄ってきたら、きっとウザいですよね（笑）。あっち行けよ、俺たち今ここでピクニックしようとしてるんだから、ってなる。楽しくやってるんだから、気を遣わせんなよと。

つまり、平時にはリーダーがこういう場にしゃしゃり出る必要はありません。

しかし有事の際、つまり今回のようにコロナ禍で会社の存続が危うそうだと心配が広がっている時、リモートだったり、そもそも出向してたりで情報が不足気味の時、所属している組織のリーダーが何をやっているのか、何を考え、これからどうしようとしているかが分からない状態は、従業員に大きな不安をもたらします。

このような有事では、リーダーはあえてしゃしゃり出てしゃべったほうがいいのです。たとえるなら、真っ暗な洞窟に集団が放り込まれた状態。「みんな、あっちに歩けば大丈夫だよ」という声があったほうがいい。リーダーが自分の顔を松明(たいまつ)で照らして「大丈夫だよ」という希望に満ちた表情を見せるだけでもいい。それでみんなは安心してくれます。

「スナックともこ」では毎回「今何か不安なこととか心配なこととかある？　何でも良いから言ってみて」というアジェンダを用意していました。その場で解決できるなんて思っていませんし、言うメンバーもそんなことは期待していないでしょう。

ただ、リーダーが仕事のことでもプライベートのことでも、自分たちの心配ごとを聞いてくれたんだなという事実が大事なのです。自分たちのことをちゃんと気にかけている、聞く耳を持ってくれた。そういう安心感を醸成する必要が当時はありました。

人間はロジックがすべてではない

「スナックともこ」には、出向中や一時休業中の社員も来てくれたので、「休業中にこんなことをやっていた」「気持ちが塞（ふさ）いじゃって参りました」みたいな話も出ました。そこに「そうだよね、わかるよ、大変だったよね」と共感することで、少しだけかもしれないけどスッキリしたように見えました。不安の中、それでもあえて気丈にふるまう社員の様子に、僕は何度か泣きそうになりました。

余談ですが、思い起こせば僕は、私生活のパートナーにそういう言葉をかけることなく、ただただ具体的な解決策を提示し続けた末に、最終的にはお別れせざるをえなかった——という手痛い過去の失敗があります。衝突の一つひとつは小さなことです。例えば家事の分担とか。でも僕はそれに真顔で「家計の負担額に比例して家事の分担も決めてみる？」と言うような人間でした。……今、あなた、引きましたよね？（笑）

以前の僕は、相手の抱えている問題、愚痴や不満について、言葉そのままを捉えて、すぐ論理的に計算して解決策であるソリューションを提供しようとしていました。ただもう、幼く浅はかだったとしか言いようがありません。

でもたくさんの失敗をして、その後も経営者として様々な経験をすることによって、少しずつわかってきました。

人間は論理だけじゃない。そこに感情も伴って初めて人間という個が成立しているんだと。

従業員の誰かが寝坊して焦って出社したとしましょう。そこでもし僕が「寝坊による遅刻でチームに与えた損失の額はいくら？」と言っていたら、絶対に誰もついてきません。

そういう時にかけるべき言葉は、「わかる。僕も眠い時があるんだよね。あるよなー、目覚ましをつい消しちゃうことが」です。

今ではそう言えるようになりました。XさんやZさんの件も、以前の僕だったらロジックだけでシンプルに「じゃあ代替案はあるの？」となっていたかもしれません。

そういう意味では、過去にたくさんの失敗を積み重ねてきたからこそ、今回乗り越えられたことがいくつもあるのだと思っています。

武士は食わねど高楊枝

出向者に対しては「どうしても嫌になったら戻ってきていいから」とは言ってあったのですが、ほとんどが1年間という期間をまっとうしてくれました。

中には出向先での半年間で一番活躍したメンバーに与えられる「ルーキー賞」なるものを受賞しているツワモノや、マネジメントポジションに抜擢されたメンバーもいました。

なにより、アソビュー社員の能力が他社から「欲しい」「うちで働いてほしい」と思われたことは、社長としてとても誇らしいことです。

ただ、それによって24名中8名もの社員が出向先に転籍してしまったのは、かなり痛かったです。優秀な社員の完全なる人材流出なのですから。経営者の仕事としては大失敗であり、綺麗事ではなく本当につらかった。

ただあの時の僕は、人材流出のリスクを避けるよりも、経営者として、我が社の社員を路頭に迷わせる決断をすることのほうが嫌でした。

ただもう、嫌だった。

そんな決断をするくらいなら、「武士は食わねど高楊枝」を気取ってやせ我慢しているほうがましだと思いました。会社から優秀な人がいなくなってしまう損失は痛いけれど、自分の意思決定でメンバーを路頭に迷わせるなんて、人生における汚点にも等しい。

それは経営者として、また人として、何かに屈服することです。負けを認めることです。武士の時代だったら、土下座するくらいなら殺してくれ。そんな気分だったと思います。

今ではこんなふうに考えています。

XさんやZさんのように感情を表現する機会もないまま、ずっとフラストレーションを溜めていた社員もいたかもしれない。そういう社員が出向先で優しく受け入れられ、成果を出し、承認されて、「この会社いいな」と思ったのだとしたら、彼あるいは彼女にとって、自分がいるべき場所をちゃんと見つけられたということ。素敵な人生の選択をしたということです。

転籍者の全員が受入先企業からの誘いだと聞いています。そんなふうに求められるような人材が、かつてアソビューで働いていてくれた。その事実だけでも、僕は経営者としての人材流出の失態をきちんと受け止めて、前に進んでいくことができそうです。

みんな、今までありがとう。

第2章

「在籍出向」で社員の雇用を守り、会社も生き残る

- □先輩経営者へ苦境にどう対処すべきか相談する
- □事業は継続し、解雇はしないと決める
- □休業した場合の会社の負担額、社員の生活を想定してみる
- □「在籍出向」のシステムについて具体的に検討する
- □出向してもらう人を決めるため、社員を3つのグループに分ける
- □コミュニケーションの解像度を高めるため、漫画を共通言語にする
- □noteで発信し、出向先企業を募る
- □メンバーの「感情」にも丁寧に向き合う
- □zoom飲み会を開催し、メンバーの近況を聞き、会社の状態を伝える

第3章

「社会のリーダー」として何ができるか

雇用シェアで他社の従業員も救え

もうひとつ大切にしていた考え方があります。それは未曾有の災害時において、社会のリーダーとして何ができるのか、という視点です。スタートアップと呼ばれる業界が近年では世間から注目を集めるようになりました。その経営者でもある僕には、従業員のみならず、世間からの注目や期待が少なからずあると自覚しています。自社の存続のために力を発揮することはもちろんですが、有事の時こそリーダーとしての立ち振舞が社会全体に影響をあたえるものだと自覚し、プラスαで自分にできることは何かを考え、行動していました。

先述した出向先を募集するエントリーには、受け入れ希望の企業以外からも気になる連絡がありました。「このスキームをうちにも活用させてくれないか」という声です。すなわち、「うちの会社も解雇をせずに社員を出向させてつなぎたい」というリーダーからの切なる連絡でした。その数は20社を超えるほどでした。

自社の出向先探しで手一杯な中で他社の心配をしている暇があるのか、という葛藤はありました。しかし僕はこの仕組みの発起人でもあります。また、直接目に見えないものの、この災害時にひとりでも多くの雇用が守られるのだとしたらやらない手はないと判断し、このネットワークを活用した雇用シェアによる他社の雇用維持活動を推進しました。

さすがにアソビューという会社で社内のリソースを活用するわけにはいかないため、個人活動としてこのプロジェクトを推進できるハコ（組織）を考えました。頭に浮かんだのが、経営者の先輩として尊敬するクラウドソーシング大手・クラウドワークスの吉田浩一郎社長と共に立ち上げようとしていた一般社団法人です。

一般社団法人災害時緊急支援プラットフォーム（通称：ＰＥＡＤ）は、発災時にまだ公共機関からの支援が届く前、あるいは公共機関からの支援からもれてしまった領域に対して、民間から最速で支援することが目的の団体です。これは２０１９年10月25日の千葉を中心とした集中豪雨（「令和元年10月25日の大雨」と呼ばれています）での吉田さんと僕のボランティア活動に端を発しています。

発災時には政府が支援の方針を決めたり、各所から支援物資が送られてきたりするのですが、地域にそれらの受け入れ体制が整っていないとうまく回りません。あるいは支援を待っているだけだと解決しない緊急的なお困りごともあります。実際に行った千葉県館山市では、夜の豪雨で家屋の屋根が吹き飛び、これからまた降り出すであろう雨に対応できない、というリアルな困難がありました。取り急ぎ必要だったのは物資でも義援金でもなく「屋根職人」だったのです。

コロナ禍も災害ですから、この団体を雇用シェアの活動の受け皿にして、支援のネットワークを充実させ、ひとりでも多くの雇用を守ろうと陣頭指揮をとって動きました。先のnoteの呼びかけに集まってくれた有志のボランティアの方々や優秀な事務局の方々のおかげもあり、結果的には30名以上の出向のサポートを実現できました。

コロナで苦境のスタートアップを救え

有事における安定した経営の鉄則、その筆頭に挙がるのは現金が手元にあることです。「Cash is King」。とにかくキャッシュを確保することが、僕たちの至上命題でした。

まずは、国が用意してくれた補助金は全部洗い出す。

管轄省庁に活用できる補助金はないか確認を進めていくと、国が困っている企業を支援するべく3000億円くらいの予算が計上されているという話を聞きました(これは後に

「新型コロナウイルス感染症特別貸付」として施行されます)。

ただ、当初の規定では、少なくない数のスタートアップ企業が貸付対象から外れてしまう建て付けでした。なぜなら貸付の条件が「コロナの影響で売上が下がったこと」だからです。つまり「コロナによって売上が減った分」を根拠に補填することを想定していました。

一見すると、理にかなっているように見えますが……。

未来的に事業が成立することを見越して開発や投資を続けているスタートアップというのは、そもそも売上が立っていないことも多くあります。それは業績が悪いとか経営がいい加減であるということではなく、起業の最初のフェーズであるというだけ。「アソビュー!」のサービスも、リリース後しばらくはそうでした。

コロナによって若いスタートアップの芽が摘まれてしまえば、取り返しがつきません。国際競争力が落ち、日本のビジネスは、否、日本という国の未来の成長が暗くなります。国益に反するといっても過言ではありません。

とはいえ、一口にスタートアップと言っても様々な会社があるのも事実。玉石混淆(ぎょくせきこんこう)にして海千山千。信義にもとる貸付申請がないとも限りません。

そこで、同じ課題感で活動をしていたデロイト トーマツ ベンチャーサポート社長の斎藤祐馬さんらとタッグを組んで、つながりのあったスタートアップ支援に積極的な政治家や官僚の方々を巻き込み、せめて経済産業省が「J-Startup」という枠組みで認定したスタートアップは対象にしてほしい、とロビー活動を展開しました。

一介のベンチャー経営者が、なぜ政治家や官僚とつながりを持っているのかって？

実は僕は、コロナ以前から観光庁のアドバイザリー・ボードを拝命しており、同庁の立案する戦略の助言や事業のガバナンス観点でのサポートを担っていました。つまり、観光庁や国土交通省関連の官僚やその政策に精通する政治家の方々とは、日頃から意見交換をする機会があったのです。

また、先にも触れた熱意ある地方創生ベンチャー連合という一般社団法人の活動目的は「地域創生」です。同じ志を持つ地方公共団体の首長の方々とのネットワークもありました。

「Ｇｏ Ｔｏ トラベル」を日帰りにも適用させよ

コロナ禍における国内旅行の費用を補助する「Ｇｏ Ｔｏ トラベル」（国土交通省の外局である観光庁の所管）は記憶に新しいかもしれませんが、その建て付けにも僕はいくばくか関わっています。

「Ｇｏ Ｔｏトラベル」の枠組みや運営方法に関しては、世間からの批判も含めて思うところがなくはありません。ただ、甚大な被害を受けている観光産業全体を、消費者を巻き込んで支援するという、世界でも稀に見る画期的な取り組みであり、期待が持てる施策であったことは疑いの余地がありませんでした。それに対する提言を通じて自分たちがお世話になっている業界に、多少なりとも貢献できた点もあると自負しています。

その貢献とは、「Ｇｏ Ｔｏトラベル」の対象に「日帰り旅行」も入れられたことです。

当初、観光庁として旅行業界支援のための予算が組まれるとなった際、どういう枠組みで事業者を支援するかの詳細は決まっておらず、さまざまなステークホルダーに情報収集をしていました。その時、僕らも含めた多くの企業や団体が現状を陳情しつつ、交渉に走っていたと思います。中でも過去から非常に強い影響力を持っている存在が、宿泊事業者を中心とする団体でした。

観光産業にとって宿泊事業者の重要性は疑う余地がありませんから、当然、観光庁としては「宿泊旅行を中心にサポートする」方針に傾いていく。つまりホテルや民宿を中心とした宿泊旅行の支援が組まれていくということです。

しかし、それだけでは困ってしまう人たちが出てきます。

宿泊以外の観光施設です。

そもそも旅行（観光）とは、移動・宿泊・食事・遊び・お土産という5つの要素から成立しており、それぞれの消費額が観光産業の基盤となっています。

ですから、宿泊をすることだけが旅行ではありません。日帰り旅行であっても観光としての経済効果はちゃんとありますし、とくにコロナ禍においては「マイクロツーリズム」という近隣への気軽な観光もトレンドになっています。

例えば東京の人が神奈川の鎌倉や埼玉の秩父や川越に、宿泊せずに日帰りで〝観光〟するのは、特に珍しいことではありません。

そして何より、日帰りで行くような動物園や水族館、ラフティングなどの各種レジャー施設はアソビューの重要な顧客です。

宿泊施設かどうかは関係なく、観光客を受け入れている実績のある事業者は支援の対象であるべき。移動距離や宿泊の有無で測るのは今の社会情勢に合致していない。僕はそう考えていました。

そこで、「日帰りも観光だ」と数値的なエビデンスを元に観光庁に提案したところ、最終的にはＧｏＴｏトラベルの中にそれらの一部が認められることになったのです。

いつもお世話になっている、地域の体験事業者の方々の顔が浮かんで安堵しました。

「自社の利益」につながる範囲の「大義」

実際に施行されたのはかなり後の話になりますが、国は雇用調整助成金（雇調金）の支給対象を「出向者」にも適用することにしました。それには、僕らの在籍出向の取り組みが参考にされました。

当初発令された時には、休業だけが対象でした。でも、それはおかしいですよね。休業だろうと出向だろうと「『事業活動の縮小』を余儀なくされた」ために「従業員の雇用維持を図る」という目的に、なんら変わりはありません。

そう思っていた僕は、つながりのある政治家の方に協力する形で関係各所に窮状を訴えました。

それが一助となり、結果として、雇調金の適用条件に「出向」も追加されたのです。

こうして見ると、雇用シェア、スタートアップへの貸付、GoToトラベルへの提言、雇調金の適用枠拡大といった一連の働きかけは、傍目に見ればアソビューのためというより、社会貢献のための活動であると言えます。

「社会のリーダーとして」という考えはあれど、自社の存続が危ぶまれている有事に、会社の代表として何をやっているのか、という話かもしれません。でも僕は、事態が好転した際には巡り巡って自社にプラスになるかもしれない社会の不条理にのみ、フォーカスして活動していました。行動に一定のガードレールを用意していたのです。

雇用シェアは採用市場に対しての企業の姿勢を伝えることになります。貸付対象の「J-Startup」にはアソビューも含まれていますし、GoToトラベルは取引先施設の救済、すなわち、最終的には自社の利益にもつながる可能性のある話です。雇調金についても、アソビューの在籍出向はまだまだ拡大する可能性がありました。

もちろん自社を救うことしか考えていなかったら、誰も動いてくれなかったでしょう。

一方で、大義だけを振りかざしたところで売名や偽善の匂いが漂いますし、そもそも自分の会社をほっぽりだして関連性のない社会貢献活動なんてやってる場合じゃない。社員や株主に顔向けができません。

自社を救うことと社会貢献がうまくつながる範囲の活動だったからこそ、心に余裕がない中でも目的意識を持って動けたのだと思います。

ベンチャーが社会貢献、あるいは政策を変えるとか国を変えるなんて大言壮語もいいところだ、と思われる方もいるかもしれませんね。

でも、そんなことはないのです。普段から政治家や官僚の方々とやり取りしている僕の経験からはっきりと言えることですが、政治家も官僚もみんな「日本を良くしたい」と思っています。

ただ、彼らの考える「良くする」方法が、現場離れしてしまうと、机上の空論になってしまう可能性すらある。だからこそ、民間のビジネスの現場で泥水をすすってきた僕のような人間が、アドバイザリーなり委員なりという立場で情報を提供し続けていく必要があるのです。そういう地道な日々の努力の積み重ねが、「この国をより良くする」という成果にきっとつながっていく。

なぜ、そんなことをするのかって？　もっと経営に集中すればいいのに？

別に政治家になりたいわけではありません。あくまで起業家として、ベンチャーの経営者として、この時代に生まれたいちリーダーとして、目の前にある不条理は解消したい、次の世代に少しでも良い形でバトンをつなぎたいという使命感、責任感からの行動です。

コロナ禍を乗り切るための「戦術リスト」③

前提条件：コロナ禍が終わること

目的：①事業（会社）の継続　②雇用の維持

<table>
<tr><td colspan="3">手段</td><td>現金獲得
価値貢献</td><td>コスト削減</td></tr>
<tr><td colspan="3">必須事項</td><td>◦補助金の徹底活用
・資金調達（エクイティ）
・資金調達（デット）</td><td>◦役員報酬カット
◦即時の休業1/3
◦経費の徹底削減</td></tr>
<tr><td rowspan="4">対象</td><td rowspan="3">顧客</td><td>ゲスト</td><td>・おうち体験キット
・応援チケット
・オンライン体験
Zoom似顔絵
・三密バッジ</td><td>◦広告費宣伝費カット</td></tr>
<tr><td>パートナー</td><td>・日時指定電子チケット
無償施策スタート
・感染拡大防止ガイドライン
・応援早割チケット
◦給付金活用の案内</td><td>―――</td></tr>
<tr><td>新規顧客</td><td>・野武士コンサル</td><td>―――</td></tr>
<tr><td colspan="2">従業員</td><td>◦成長機会の提供（出向）
◦休業の早期解除</td><td>◦出向
◦有期雇用者の
契約終了</td></tr>
<tr><td>個人</td><td colspan="4">◦ランニング　◦Netflix　◦料理</td></tr>
</table>

第3章

「社会のリーダー」として何ができるか

- □「雇用シェア」に他社の雇用維持活動も加える
- □スタートアップ企業も貸付を受けられるように国の機関に働きかける
- □観光庁に働きかけ、「Go To トラベル」を日帰り旅行にも適用させる
- □雇用調整助成金の対象に出向者も含めるよう働きかける

第4章

今あるもので
今できることを何でもやる。
泥臭くてもやる

コンサルティング業務に光を見出す

さて、思想めいた話はこれくらいにして、現実を見ましょう。アソビューはまだ危機的な状況をほとんど脱していませんでした。

雇用シェアはあくまで「出る金を減らす施策」であって、新しい稼ぎ口の確保ではありません。会社存続のためには新しい売上の確保、すなわち「入る金を増やす施策」を講じる必要がありました。

当時の気持ちを正直に申し上げるなら、「お金さえ手に入るなら、寄付でもお布施(ふせ)でも貸付でもありがたい」「同情を誘うお涙ちょうだいでもいいから、とにかくお金が欲しい」です。有事においてはなりふりなど構ってはいられません。手段を選んでいる余裕などないのです。

公的補助金の類いは漏れなく申請しましたが、当社規模の会社を継続させる資金としては足りません。かといって、自分たちと同じような憂き目にあっている取引先やレジャー施設から新たに何かをいただく（取引提案をする）というのは、現実的には考えづらい。彼らも余裕がないのですから。加えて、レジャー消費そのものが滞っているため、消費者のお財布の紐をゆるめることは当分の間は難しそう。

では、どうするか？

正解は「他業界ＢｔｏＢ」。すなわち他業界の企業間取引に目を向けました。

そもそも論としてＢｔｏＣの商売というのは、消費者のニーズの移り変わりが早く、スピード感を持ってヒットを生み出すという難易度が高いものです。ＩＴに限らずどんなサービスであれ、普段の生活シーンで相当なベネフィットが確信できなければ、消費者はお財布からお金を出してはくれません。

ところが企業間取引の場合は、商慣習があり、ニーズがある程度明確で、ビジネスの現場で直接交渉が可能かつ、決済者の承諾さえ得られれば良いので、スピードが速い。

そこで思いついたのがコンサルティング事業でした。「コンサル」というとかっこよく聞こえますが、要は何でも屋です。

業務改善やデジタルマーケティング支援、ウェブ制作。アソビューの従業員のスキルをもってすれば、事業会社の多くのお困りごとを解決できるという自信が、僕にはありました。

しかも僕自身、リクルートでの経験や、先述した起業間もない頃の人材コンサル業務で人材領域にはノウハウがありましたし、百数十人の組織を一から構築し回してきた（かつ失敗も含めた）経験も、事業を成長させてきた経験もあります。

なによりコンサル業務は経験と知見が売り物ですから、元手をかけずにすぐに始められたのです。

平時の備えが有事を左右する

僕は雇用シェアを提言したnoteのエントリー（4月21日）の最後に、「仕事をください」という小見出しをつけてこんな文章を書きました。

この一ケ月で社会情勢は一変しました。私たちが今まで提供してきたサービスもその渦中で大きな打撃を受けています。しかし、私たちが培ってきた経験と実績が色褪（あ）せることはありません。それらをクライアントワークを通じて惜しみなく提供させていただくことで、社会に対して価値貢献し続けたいと考えています。

コンサルティングファームやシステム開発・WEB制作会社などでクライアントワークの経験を持ちながら、当社で自社の事業・サービスを成長させてきた経験豊富なメンバーが多数います。ぜひご相談ください!

切実、です。

ここから会社サイトにリンクを張り、正式なコンサル業務開始のプレスリリースも出しました。そこに掲載する写真も撮り下ろしたのですが、いつものラフでポップな会社イメージとは一線を画し、あえて全員スーツ。いかにも背水の陣といった感じの厳しい表情です。背水の陣、悲壮感。それをあえて前面に出しました。同情でもなんでも、とにかく問い合わせ数を増やすためにはなんだってやる覚悟でした。

コンサルティング事業の社内コードネームは「野武士コンサル」。手段を選ばず、生き残りをかけてがむしゃらにやろうという意志の表れです。今だけは、「遊びじゃない、本気のアソビュー」。そんな気合いがみなぎっていました。

その気合いの甲斐もあってか、noteの記事はバズりました。結果、二十数件もの案件を獲得。しかも、その顧客の多くは僕がSNSでつながっていた友達でした。感謝です。

近場のコネクションに頼るのは、経営者として安直でしょうか?

「野武士コンサル」業務開始

いえ、そうは思いません。平時の時に培ったアセット（資産）を有効活用する以外、有事にできることなんてほとんどないからです。友達、同級生、先輩という僕の大切な財産。普段から大切にしている関係性だからこそ、いざ困った時に手を差し伸べてくれる。立場が逆なら僕も必ず差し伸べます。

別の言い方をするなら、「平時の準備が有事を左右する」。有事の際にいきなり新しいことはできません。窮地に陥って初めて周りを見回し、面識もない人に「助けてください、これから仲良くしましょう」と言ったところで、助けてはくれないのです。

ミッションに立ち戻って考える

思い出してみてください。3月2日に全国の学校が臨時休校となり、3月中旬に緊急事態宣言の予告が出た時、人々の外出が限りなく「ゼロ」になりましたよね。「遠出して遊びに行くなんてとんでもない」という空気。ですから僕としても、その時半減していた売上が、街の人出に連動して文字通り「ゼロ」になるであろうことは目に見えていました。

あの時は、子供たちが近所の公園に遊びに行くことすら憚(はばか)られました。法律で禁止されているわけではないものの、なんとなく外で遊んではいけない自粛ムードが漂っていたのです。

アソビューの中心ゲストはお子さんのいらっしゃる若いファミリー世代です。ちょうど僕と同世代。その方々が口々に、「家にずっといなければならない子供がストレスを溜めている。家遊びに飽きてしまい、困っている」という悲鳴を発しはじめました。

子供たちを動画配信やゲーム漬けにするのは、さすがに親としても罪悪感が募ります。ブルーライトによる目への影響も心配。かといって、多くの都会の家はそれほど広いわけではないので、家遊びの選択肢は少ない。我々が向き合っているゲストの心理は手にとるようにわかりました。

ここで僕は原点に立ち返りました。アソビューのミッションは「生きるに、遊びを。」ですから、なにも遊びの予約サイトを運営するだけが会社の存在意義ではないはず。ゲストの生活シーンに遊びを提供して心を豊かにするお手伝いができれば、方法は問わなくていい。

つまり「お出かけ」に固執する必要はないのです。

お出かけしづらい状況なら、家の中でワクワクする良質な機会を用意すればいい、そう考えた時に思いついたのが、「おうち体験キット」でした。

「雨の日」はずっと天敵だった

僕らの商売はもともと「雨の日」が天敵でした。それは当たり前で、アソビューで予約できるレジャーは家の外でする体験、つまり「お出かけ」だからです。

話はコロナ感染拡大の4か月ほど前にさかのぼります。

先述しましたが、2019年10月25日、千葉を中心とした地域で集中豪雨があり、千葉県出身の僕は当時、経営者仲間と被害地域に行ってボランティア活動をしました。その時、豪雨というものの凄まじさを改めて強く認識します。

雨の日は天敵。しかし、そんな時にも何かを提供できてこそ、「生きるに、遊びを。」というミッションに向き合っていると言えるのではないか？

「事業リスクである〝悪天候〟を、どう解決するか」は、この頃からずっと僕の頭にあり、かつ従業員や外部アドバイザーの方ともたびたびディスカッションのアジェンダになっていました。雨の日でも楽しめること。もしくはお出かけしないでも楽しめること。それは何だろう？

つまり僕はコロナ感染拡大の4か月前から、この問題に向き合っていたのです。だからこそ、比較的早い段階で「おうち遊びを商品化する」という答えにたどり着けました。

「おうち体験」をＥＣサイトで販売する

なるべくコストをかけずにできる、おうち遊び。僕とＣＯＯの宮本は外部アドバイザーからの紹介でcotta（コッタ）という大分県にある企業と打ち合わせをしました。同社は製菓材料やその料理道具をプロユーザー向けに販売する会社。もともとはお菓子屋さんなども顧客とするＢｔｏＢ事業がメインだったのですが、近年ＢｔｏＣにも広げていたのです。

そこで、アソビュー利用者の家族向けに、誰でも簡単にお菓子を作れる家庭用のキットができませんかと相談したところ、チョコパンキットを作れますよという返答。

いいじゃないか！

気軽に楽しんでいただけるように「４人家族で２回分の材料」「３０００円以内」と設定したキットを企画しました。

こうして４月２日に会員向けに売り出したところ、すぐに５００キットほど売れました。会員限定でほとんど宣伝をしていなかった割には手応えのある数字です。

その結果を受けた僕はこう考えました。たまたまコロナの緊急事態宣言下で販売した商

「チョコパン」制作イメージ

品だけれど、これは「雨の日」問題を解決する商品でもある！ つまり、「おうち体験キット」はコロナが収束しても需要がある商品なのだと。

短期的な売上の期待だけではなく、長期的にも投資する価値ありと判断した僕は、横展開を決意。社員は色々なアイデアを出してくれました。そして自社プロデュース商品として、蕎麦打ち体験キット、家のオーブンでできる陶芸体験キット、ハーバリウム体験キットを企画・販売しました。ハーバリウムとは瓶の中に花を詰め、アルコールを注いで腐らないようにするフラワーアレンジメントの一種です。これらのレクチャー動画も社内で自作しました。

ただ、これだけではラインナップがさび

しいので、既存の他社製キットも集めました。科学実験や味噌作り体験など、集めたキットは全部で28種。これを販売すべく、専用サイト「アソビュー！ストア（現アソビュー！ギフト）」を6月11日に立ち上げました。

若手の社員の遠藤らが奮闘してくれたおかげで、ゼロからの垂直立ち上げに成功したのです。

ちなみに、サイトには商品紹介のための写真も載せましたが、モデルさんを手配する予算も場所もなかったので、撮影場所はなんと社員の自宅。出演者も社員とそのご家族です（！）。文字通り手弁当、手作り感満載でしたが、チームの一体感は高まりました。

一方、本来はリアルの場で楽しめるレジャーをオンラインで楽しむプランも企画しました。オンラインに代替しても体験の品質が落ちない商品。それで考えついたのが「Zoom似顔絵」です。そもそも商業施設の似顔絵ブースは描かれている様子を外から覗かれてしまうためちょっぴり恥ずかしい。実はそもそもオンラインのほうがそういった心配なく描いてもらえるので、逆に体験の満足度が上がるのではないかと考えました。

東京タワー内を活動場所としていた似顔絵集団「チームタワーズ」とゲストをオンラインでつなぎ、リアルタイムに会話をしながら似顔絵を描いてもらう。絵は20分ほどで描きあがり、作品はデータで送信されます。

当時チームタワーズは東京タワーでの似顔絵ブースの営業再開を予定していたのですが、新型コロナ感染拡大で再開の目処（めど）が立っていませんでした。そこに我々が提案させていただき、実現したのです。双方のニーズが見事にマッチングしました。

飼育費を削れない施設を救え！

レジャー施設と日常的に連絡をとっているセールスの社員が、ある時ふと気づきました。

「休園中で多くの施設に連絡がつかない中、動物園と水族館だけは連絡がつくんですよね」

休園だろうと動物や魚たちの世話をする必要がある施設では、飼育員を休ませるわけにはいきません。だから施設には常に人がいる、連絡がつくということでした。

遊園地などのレジャー施設は政府からの休業要請を受けて休業し、その間の人件費を抑えつつ雇用調整助成金を活用することで、一時的に運営を賄（まかな）うことができます。しかし動物園や水族館は人件費はもちろん、エサ代をはじめとした飼育費も営業中と同じようにかかります。

つまり動物園や水族館は、他のレジャー施設に輪をかけて苦しい状況にありました。彼らをパートナーとするアソビューとしては、なんとかして応援したい。

でも、待てよ。

我々が応援したいと思うということは、その施設を愛してやまないゲストだって同じように応援したいんじゃないだろうか？

世間では「休業せざるをえない行きつけの飲食店を応援しよう」というトレンドが生まれつつあり、さまざまなクラウドファンディングが立ち上がっていました。お店や施設を愛するお客様の中に「金銭的に支えたい」という気持ちが確かにあったのです。

そこでスタートさせたのが「応援早割チケット」です。これは、営業が再開した時に使える入場チケットを、アソビューで前払いで購入してもらうもの。施設としては休業中でもキャッシュが先に手に入るので、設備の維持・管理の足しになります。

この企画は四国水族館や神戸どうぶつ王国をはじめとした複数の施設とスタートし、かなりの好評をいただきました。

四国水族館の場合、税込み2万2０００円のサポーターズパスポート（初回来館日より1年間有効、同伴者無料）２０００枚が即完売。感謝を込めて、購入者の名前を館内サイネージで1年間掲出するという特典付きでした。

郵 便 は が き

料金受取人払郵便

渋谷局承認

6631

差出有効期間
2022年12月
31日まで
※切手を貼らずに
お出しください

1 5 0-8 7 9 0

1 3 0

〈受取人〉
東京都渋谷区
神宮前 6-12-17
株式会社ダイヤモンド社
「愛読者係」行

フリガナ		生年月日				男・女
お名前		T S H	年齢 歳 年	月	日生	
ご勤務先 学校名		所属・役職 学部・学年				
ご住所 (自宅・勤務先)	〒 ●電話 ( ) ●FAX ( ) ●eメール・アドレス ( )					

◆本書をご購入いただきまして、誠にありがとうございます。

本ハガキで取得させていただきますお客様の個人情報は、
以下のガイドラインに基づいて、厳重に取り扱います。

1, お客様より収集させていただいた個人情報は、より良い出版物、製品、サービスをつくるために編集の参考にさせていただきます。
2, お客様より収集させていただいた個人情報は、厳重に管理いたします。
3, お客様より収集させていただいた個人情報は、お客様の承諾を得た範囲を超えて使用いたしません。
4, お客様より収集させていただいた個人情報は、お客様の許可なく当社、当社関連会社以外の第三者に開示することはありません
5, お客様から収集させていただいた情報を統計化した情報（購読者の平均年齢など）を第三者に開示することがあります。
6, お客様から収集させていただいた個人情報は、当社の新商品・サービス等のご案内に利用させていただきます。
7, メールによる情報、雑誌・書籍・サービスのご案内などは、お客様のご要請があればすみやかに中止いたします。

◆ダイヤモンド社より、弊社および関連会社・広告主からのご案内を送付することがあります。不要の場合は右の□に×をしてください。 不要 □

①本書をお買い上げいただいた理由は?
（新聞や雑誌で知って・タイトルにひかれて・著者や内容に興味がある　など）

②本書についての感想、ご意見などをお聞かせください
（よかったところ、悪かったところ・タイトル・著者・カバーデザイン・価格　など）

③本書のなかで一番よかったところ、心に残ったひと言など

④最近読んで、よかった本・雑誌・記事・HPなどを教えてください

⑤「こんな本があったら絶対に買う」というものがありましたら（解決したい悩みや、解消したい問題など）

⑥あなたのご意見・ご感想を、広告などの書籍のPRに使用してもよろしいですか?

1　実名で可　　2　匿名で可　　3　不可

ご協力ありがとうございました。

【弱者の戦術】114438●3550

コロナ禍を乗り切るための「戦術リスト」④

前提条件：コロナ禍が終わること

目的：①事業（会社）の継続　②雇用の維持

<table>
<tr><th colspan="3">手段</th><th>現金獲得
価値貢献</th><th>コスト削減</th></tr>
<tr><td colspan="3">必須事項</td><td>◦ 補助金の徹底活用
・資金調達（エクイティ）
・資金調達（デット）</td><td>◦ 役員報酬カット
◦ 即時の休業1/3
◦ 経費の徹底削減</td></tr>
<tr><td rowspan="4">対象</td><td rowspan="3">顧客</td><td>ゲスト</td><td>◦ おうち体験キット
◦ 応援チケット
◦ オンライン体験
Zoom似顔絵
・三密バッジ</td><td>◦ 広告費宣伝費カット</td></tr>
<tr><td>パートナー</td><td>・日時指定電子チケット
無償施策スタート
・感染拡大防止ガイドライン
◦ 応援早割チケット
◦ 給付金活用の案内</td><td>———</td></tr>
<tr><td>新規顧客</td><td>◦ 野武士コンサル</td><td>———</td></tr>
<tr><td colspan="2">従業員</td><td>◦ 成長機会の提供（出向）
◦ 休業の早期解除</td><td>◦ 出向
◦ 有期雇用者の
契約終了</td></tr>
<tr><td>個人</td><td colspan="4">◦ ランニング　◦ Netflix　◦ 料理</td></tr>
</table>

結局、応援早割チケットは流通額ベースで1億円近くの成果を上げました。

ささやかだけれど大きな成功体験

何かに共感・応援したいという消費者心理と、それに基づいた購入。人の良心をくすぐる消費行動。コロナ禍ではそういった動きが社会に大きく広がり、可視化されました。

昨今はゲストがある観光商品を購入する動機の中に、サステイナビリティ（持続可能性）の要素も入ってきているという調査結果があります。また、インクルージョン（包括・包含・一体性）という言葉もビジネスのシーンでは重要なキーワードとして語られるようになってきました。そういう社会全体の消費者心理・トレンドが大きく変化する時代において、僕たちは、共感→応援→購入というモチベーションプロセスの実態を、応援早割チケットの成功で体感することができました。

また、それまでずっと「売上ゼロ」の数字が続いていた暗澹たる状況に一瞬でも光が灯ったこと、仕掛け次第では市場が動くことを実感できたことに、僕たちは勇気づけられました。

ビジネスとして一発当たるかどうか、利益率が高いかどうかというより、市場は小さいし利幅は少ないかもしれないけど、矢継ぎ早に何かをやってそれがニーズを捉えていれば、ゲストはちゃんと反応してくれる。そのことは当時のアソビューにとって確かな希望でしたし、ギリギリの極限状態だった社員のモチベーションをつないだと思います。

利益という意味でのインパクトは小さかったです。ささやかな成功体験にすぎませんでしたが、あるとないとでは大違い。それすらなければ、早々に社員の心が折れていたかもしれないのです。

ただ現実問題として、応援早割チケットの売上の多くは施設側の取り分であり、我々は数パーセントの手数料をいただく立場。おうち体験キットにしても同様です。

身も蓋もないことを言えば、おうち体験キットも、応援早割チケットも、僕らを精神的には楽にしましたが、事業継続に必要な利益という意味では遠く及ばないものでした。なぜって、応援早割チケットが正式リリースされた4月23日時点で、アソビューの本業であるレジャー予約はゼロだったからです。

しかし光明は意外なところから差してきました。海の向こう、何千キロも離れたハワイです。

第4章

今あるもので今できることを何でもやる。泥臭くてもやる

□企業向けのコンサルティング事業に乗り出す

□外出できない家族のために何ができるかを考える

□ECサイトを新設し、「おうち体験キット」を売り出す

□飼育費を削れない施設(動物園や水族館)を救うため、「応援早割チケット」を売り出す

第 5 章

起死回生の新規事業を最速でやり抜く

ハワイからの光

緊急事態宣言が出る1か月ほど前の3月初頭、僕は取引のあるふたつのレジャー施設を訪れていました。京都の東映太秦映画村と、東京のお台場にあるレゴランド・ディスカバリー・センター東京です。

当時、東映太秦映画村は世情を鑑みて営業を一時休止中。レゴランドは暗いニュースばかりの世の中で、施設の運営が一筋の光となればという想いを持って営業を続けていました。両者に共通していた悩みは同じ。もし施設内でクラスターが発生したら世間から何を言われるかわからないという不安。いわゆる「レピュテーション（風評）リスク」です。

折しも、歌舞伎町や池袋の繁華街ではクラスターが発生し、マスコミの煽るような報道によって、世間からは「店名を晒せ」「店を潰せ」などといったバッシングが相次いでいました。2施設とも「ひとたび施設内でクラスターが発生したが最後、メディアの集中砲火を浴びてお客様が来なくなり、二度と立ち直れなくなるのでは……」という心配があったのです。

彼らの窮状は痛いほど理解できましたが、悩みがあるところにはニーズがあり、ニーズがあるところにはビジネスの鉱脈があるものです。ただ、その時の僕には、一体そこにどんなビジネスが創出できるかを思いつくことはできませんでした。

それから1か月半後、4月21日に野武士コンサルのリリースをnoteに掲出してしばらくすると、意外な人から連絡が来ました。ハワイ大学で疫学の専門家として働いている岡田悠偉人（ゆいと）さんです。これには驚きました。なぜなら岡田さんは僕と同じ高校の同級生、しかも同じサッカー部所属の友人だったからです！

ただ岡田さんは1年生の途中で退部してしまったので疎遠になり、卒業後の消息はまったく存じ上げませんでした。お互い一切連絡をとっていなかったのですが、岡田さんがたまたまシェア・拡散された僕のエントリーを目にして気づき、連絡をくれたのです。実に18年ぶりでした。

先述しましたが、僕はそのnoteエントリーに「仕事ください」という切実なメッセージをしたためていたので、彼は自分の活動を紹介するホームページの作成をアソビューに依頼するつもりで連絡してくれました。なんて、ありがたい……。

しかも色々と話をする中で、岡田さんはこんなことを申し出てくれました。

「ハワイは世界の中でも有数の観光先進地なので、既にアフター・コロナに向け、観光施設における感染防止の研究や動線設計が進んでいます。僕はその分野の専門家なので、もしお困りでしたらお力添えできますよ」

ピンと来ました。

この言葉と3月初頭に2施設から聞いていたレピュテーションリスクが、頭の中でつながったのです。

疫学の専門家と複数の業態の営業オペレーションを把握しているアソビューが監修した感染防止ガイドラインを作り、それをレジャー施設に共有する。そうすれば、緊急事態宣言が明けた後すぐに、レピュテーションリスクを恐れることなく営業再開の道が開けるのではないか？　何より、ゲストも安心して施設を利用できる。

それが新規の売上になればよし。もしならなくても、レジャー施設同士をつなぐプラットフォームであるアソビューが率先してガイドラインを作るのは、絶対にやる意義があるはず！

省庁との連携はマスト

居ても立っても居られず、早速岡田さんと打ち合わせをはじめました。このプロジェクトは社内の「観光戦略部」という、自治体・中央省庁へのコンサルティングサービスを提供するメンバー、内田、日比野と共に進めました。

敷地面積における時間あたりの入場人数や、列を作る際の人との間隔、さまざまな動線設計。ラフティングや体験教室といったガイドが存在するツアーの場合と、ガイドがいない場合。テーマパークのような屋外施設は？　温泉施設の場合は？　アソビューが予約を受け付けている多種多様なレジャー施設に対応できるよう、岡田さんと何度も打ち合わせを重ね、かなり細かいマニュアルを策定しました。

4月下旬に着手をはじめ、5月の中旬には骨子を固められました。相当なスピードです。僕自身、今までまったく知らなかった疫学の膨大な知識を岡田さんとの連携の中で短期間でインプットしました。受験勉強以来……というより受験勉強でもこんなには頑張らなかったかもしれません（笑）。

こうして感染拡大防止ガイドラインは2020年6月10日に正式リリース。アソビューのサイトでは、そのガイドラインの基準をクリアした施設に対して「新型コロナウイルス感染対策（三密対策）実施済み」と表示しました。通称「三密バッジ」です。

一方、ガイドライン作成と並行して僕が狙っていたのは「関係省庁との連携」です。アソビューの契約施設に対する感染防止ガイドラインの提供はもちろんですが、関係省庁、すなわち観光庁と連携することで、より多くの観光施設にこのガイドラインが行き渡り、営業再開の一助になるのではないかと考えました。

また、感染症という難解なテーマを扱う際、単に「民間のベンチャーが頑張って作りました」では、世間は見向きもしてくれないということは、今までの中央省庁や自治体との仕事を通じて痛いほどわかっていました。加えて新型コロナウイルスは未知の感染症です。わからないことが多いウイルスの対策マニュアルを民間のベンチャーが専門家と作ったというだけではマニュアルに対する社会からの信頼は得にくいだろうと考えました。

ちょうど観光庁でも同じ課題感を持ち、プロジェクトを進めようとしていたため、連携はスムーズでした。観光庁では厚労省付きの専門家とも連携を進めていたので、より強固なエビデンスの確保のための連携ができる状態でした。最終的に我々が作ったガイドラインがレジャー体験施設の感染防止ガイドラインの正式版として承認され、内閣官房のお墨付きを獲得し、世間に広く周知されることになりました。もちろんそこには、熱意を持って動いてくださった各省庁や自治体の方々のお力添えもありました。

自治体に鍛えられた6年間

懐具合が火の車の自社だけでも大変なのに、疫学の専門家と一緒にガイドラインづくりの日々。大変だったかと言われれば……はい、超がつくほど大変でした。

ただ、本業の売上がゼロになっている中、可能性があると思ったことはなんでもやろうと、当時の僕は必死。だから大変だなんて感じている暇はありませんでした。人間、生きるか死ぬかわからないような状況で、着ている服に多少泥がつこうが穴が空こうが、そんなことはどうでもいいんです（笑）。

ひとつ、チームとしてとても大きな経験値が積めたと実感したのは、やはり関係省庁との交渉まわりです。調整に次ぐ調整。キーマンを捕まえて、チームメンバーと共にかくかくしかじかと説明や交渉を繰り返し、省庁をまたいだやり取りを重ねて……。

地域の課題解決のため地方創生事業に元気良く手を挙げた志高いベンチャーが、当該自治体の縦割り行政や煩雑な手続きに疲弊して心が折れた……という話はよく耳にします。

僕はその渦中に長らく身を投じていました。そう、一般社団法人熱意ある地方創生ベンチャー連合です。この組織で6年もの間、ランサーズの秋好さんと共同で代表理事を務め（2020年3月に退任）、全国のたくさんの自治体と協業する機会を得ました。

そこで痛いほどわかったことがありました。なぜ自治体とベンチャーの協業は難航するのか。それは2者の価値観がまったく違うからです。

自治体にとって重要なのは、「公平性」「公共性」「公明性」です。

しかしベンチャーにとって重要なのは「経済合理性」「成果」「スピード」です。

だから協業するには、どちらかがどちらかに歩み寄るしかありません。

僕はこの歩み寄りに6年間奔走してきました。その6年間のナレッジの基盤があったからこそ、中央省庁とのコミュニケーションもうまくいったのだと思います。

また有事だからこそ、各省庁もスピーディに動いてくれたと思います。国民の命を守りたいという想いは、自治体もベンチャーも同じなのです。

入場者数を制御する「日時指定電子チケット」

4月に岡田さんと打ち合わせを始めてわかったのは、感染防止対策の一番の基本は「密状態の回避」でした。つまり、施設内に同時にいるゲストの人数をある基準以下に抑えることが、「密」回避のスタート地点となる。時間帯ごとの入場者数を何らかの方法でコントロールすればいい。

それが「日時指定電子チケット」というアイデアです。

チケットを日時指定で販売すること自体、とくに目新しいことではありません。皆さんがよく知る東京ディズニーリゾートはそうですし、映画館はそれぞれの上映時間に合わせて座席チケットを販売しています。

ただ、それには多大なコストがかかります。これらは窓口販売ではなくオンライン販売を前提とするわけですが、まずシステム開発に莫大なお金がかかります。またセキュリティや可用性、新しい技術の対応など運用面を考えると費用はばかになりません。

だったら……そのシステムをアソビューがまとめて作り、全国の施設に使ってもらえばいいじゃないか！

こうしてプロジェクトはスタートしました。5月7日のことです。「日時指定電子チケット」の販売システムの構築は、特急で進める必要があると考えていました。なぜなら、4月7日に始まった緊急事態宣言でしたが、そう遠くない未来に解除されるだろうという各所の専門家の見解を探知していたからです。

解除されるということは、そのタイミングでレジャー施設が営業再開を検討しはじめるということ。であればそのタイミングで、密を避けるための「日時指定電子チケット」が運用を開始していなければなりません。

そこで我々は、最終的に顧客である池袋のサンシャイン水族館が営業を再開する6月8日からのチケット販売に向けて、開発を進めることにしました。

つまり、我々に与えられた開発期間はたった1か月しかありませんでした。

でも、やるしかない。やるしかないのです。

最後は人力に頼る

僕はエンジニアではありませんが、一応10年近くもＩＴ企業を率いてきたので、どれくらいの人員でどれくらいの時間（工数）をかければ、どれくらいのシステムが開発できそうかという肌感覚はありました。

通常であれば、このようなシステムの構築には半年から1年近くかかることもあります。事実、担当エンジニアの竹内の概算見積もりもそれに近しいものでした。しかしそんな呑気なことを今やっていたら、システムができる前に会社が潰れてしまう可能性がある。とにかくスピードが第一。かと言って開発部門に「不可能を可能にしろ！」と指示したわけでは当然ありません。

結局のところ開発は、スペックと納期のトレードオフです。時間を永遠にかけられればどこまでも作り込めますが、現実には納期が決まっているので、その限られた時間内にできる限りで完成度の高いものを作る。つまり、「どこまで作り込むか」と「いつまでにローンチするか」の調整なのです。

納期が短ければその納期でできる限りの品質を見積もる。その判断がどれだけ早く、正確にできるかが鍵。社員とも打ち合わせを実施し、既存のシステムをできる限り流用することにしました。

そして6月8日までに作れるものは作る。作れないものはバージョン2以降のアップデートで対応する。

では、その間はどう凌(しの)ぐのか？

人力です（笑）。

すべてをシステムで自動化できないなら、究極、人力で対応するしかない。わかりやすいたとえ話ですが、チケット予約画面に日付と時間だけが表示されて、それをクリックしたら電話番号が出てくる。そこに電話したらアソビューの社員が電話を取るといったことも考え得るわけです。

「ありがとうございます。アソビューサポートデスクでございます。こちらの日付ですね。お客様のお名前とメールアドレスをお伺いできますでしょうか。かしこまりました。今からお客様のメールアドレス宛てにチケットをお送りしますので、お待ちください」

これでいいのです。困った時は人力。人力は偉大です。

「導入費無料」という大きな決断

当時、僕らと同じようなことを考えているサービスは他にも複数あったと聞きます。競合サービスは軒並み大手。アソビューよりずっと資金的には余裕のある会社です。

しかし、彼らの機能提供が僕らのスピードに追いつくことはありませんでした。それだけ僕らのスピードは速かったのです。

他社がレジャー施設の「そろそろ営業再開しようかな」という声を受けて、開発にようやく動き出したのが、緊急事態宣言が明けて以降の6月だったとしたら、僕たちはその1か月近く前、緊急事態宣言の真っ最中から開発に着手していました。徒競走で言うなら100メートル走でアソビューだけが80メートル先でヨーイドンしているようなものなので、他走者の開発リソースがいかに恵まれていようが、追いつくことはできません。このスピードこそ、ベンチャー企業の強みだと僕は思っています。

思えば雇用シェアや野武士コンサルに関しても、その舵切りは早かったと思います。トラベル系、レジャー系の会社でアソビューほど「早く」動いている会社は、少なくとも僕の周りには1社もなかった。電光石火のスピード。それがアソビューを救ったのは間違いありません。

ちなみに、サービスの開始を公にアナウンスしたのは開発着手から1週間後の5月14日（これも早い）ですが、その時に僕らはかなり思い切ったことを決断していました。

各施設のシステム導入費を無料とすることです。

通常、こういったITサービスをBtoBで法人に導入してもらう場合、初期導入費用と月額費用、あるいは運用時の手数料（この場合はチケット売買成立ごとに発生する）をいただきますが、このうちの前者、導入費用をなくしたわけです。

言うまでもないことですが、僕らとしては1日でも早く現金収入を確保しなければならない状態だったので、導入費用は喉から手が出るほど欲しい。1円でもお金が欲しかったというのが正直なところでした。

ただ、レジャー施設も先行きが不透明な中で臨時の出費は痛手となります。「日時指定電子チケット」に頼って1日でも早く営業を再開したい施設であっても、10万円、いや、たった1万円の稟議(りんぎ)を通すのさえ相当な覚悟を要することは、簡単に想像できました。ギリギリの状況下にある彼らが前払いで導入費を出すことは相当難易度が高いと、僕らは察したのです。

ここはぐっと歯を食いしばり、アソビューが持ち出しで初期コストを負担するしかない。「無償提供でいこう」。僕たちは覚悟しました。

アソビューに託されたレジャー施設の営業再開

「日時指定電子チケット」がアソビューのサイトでローンチを迎える日が近づいてくる頃、僕にはふたつの懸念事項がありました。

ひとつは、果たしてどれくらいの取り扱い高になるのか。マーケットがどれくらい戻ってくるのか。せっかくリソースをかけて開発したのに誰もチケットの購入行動に至らなかったらどうしよう……という心配です。

もうひとつは、逆に購入者が想定以上に殺到した場合のことです。先ほど説明したように、ファーストリリースでは「人力」すなわち手のオペレーションに頼る部分がかなりありましたが、既に出向がはじまっていたので社員数は通常時より少ない。果たしてその社員だけでオペレーションを賄えるのか……。

しかもこの日時指定電子チケットの活用は、「通常の窓口チケット販売に加えてオンラインでもやります」という話ではなく、多くの施設の期間中のチケット販売管理すべてをアソビューのシステムだけで実施するというもの。

感染拡大防止を目的として、敷地面積における時間あたりの入場人数を管理するためには、リアルタイムで設定ができる電子チケット販売に一本化して管理する必要があったのです。つまり、ゲストが他にチケットを買う方法は用意されていません。「アソビュー！」のサイトに購入希望者のアクセスが殺到する可能性があったのです。

サーバーが落ちたとか、システムダウンしたとか、オペレーションが崩壊して電話がつながらなかったとかでは、話になりません。「施設内で密になるのを避けるために、入場前のチケット購入が密」になってしまっては、笑えない。

僕らの双肩に全国のレジャー施設の運命が重くのしかかっていると言っても過言ではありませんでした。

「東京オリンピック」方式で乗り切る

後日談ですが、この夏には何度もサーバーが落ちかけました。が、東京オリンピックチケットの予約にインスパイアされた仕様で、なんとか乗り切りました。

オリンピック方式とは？

そもそもなぜサーバーが落ちるかというと、ある特定のデータベースにアクセスが集中して負荷がキャパオーバーになるからです。川にたとえるなら、細い川に大量の水が押し寄せて決壊するようなもの。

であれば、いくつものダムを設置して水を一時的に貯めつつ、少しずつ流していけばいい。わかりやすく例示すると、

①トップページ
②商品紹介ページ
③購入ページ

④購入商品の確認ページ

以上それぞれのページでアクセスしてきたゲストを、上限数を設けてそのページで待っていてもらう、つまり「ウェイティング」していただいて、次のページに順次お通しし、新しくゲストを受け入れる。これを繰り返していくという作戦です。

オリンピックのチケット販売画面もそうでしたよね。世界規模の大イベントですから待ち時間が果てしなく、寝落ちした人も多かったと思いますが（笑）。

ただオリンピックと日時指定電子チケットが違うのは、オリンピックの場合は抽選だったので待ち時間が経過すれば申込みはできましたが、日時指定電子チケットは時間帯別の販売数が決まっているので、希望の時間帯が買えるかどうかが保証されていないことでした。

この点の仕様についてはSNSなどで様々なご意見をいただきました。これには多くの反省が残りましたが、それでも、そもそも日時指定電子チケットを開発しなければ営業の再開ができないどころか、そのままなくなってしまうかもしれない施設もあったのです。

あの時の暗雲立ち込める、先行きの見えない社会情勢において、遊びに行けるということ自体が一筋の光となった家庭もあったと聞いています。チャレンジした意義はあったのではないかと思っています。

営業再開できないまま、なくなってしまうかもしれない施設なんてあったのか?あったのです。関東を代表する老舗遊園地「としまえん」です。

としまえん最後の営業を支える

としまえんは1926(大正15)年に開園した、とても古い遊園地のひとつです。東京23区内(練馬区)にありながら園内には木々が豊富で、流れるプールやウォータースライダーをはじめ「世界初」「日本初」のアトラクションや施設も多い。古式ゆかしい回転木馬の「カルーセルエルドラド」は機械遺産にも認定されました。

としまえんが何より素敵なのは、地域に愛される遊園地であったことです。

練馬区民をはじめ周辺地域の住民にとっては、幼い頃は親に連れて行ってもらい、大きくなってからは友達や恋人と遊びに、そして結婚すれば自分の子供を連れて行く。言ってみれば人生に寄り添う遊園地。併設のグラウンドは近隣の学校や企業の運動会にも利用されていました。

そのとしまえんは、2020年8月31日をもって94年の歴史に幕を下ろすことになりました。コロナ禍の中で緊急事態宣言が5月下旬に明けたら営業を再開し、その後の夏休みをラストランとするわけです。

ところが……。

としまえんの営業再開も懸念の声があったようです。「営業を再開してクラスターが発生したらどうする?」「としまえんの晩節を汚すことにならないか?」

当然の心配だと思います。地域に愛され、住民とともに歴史を歩んだ遊園地です。そんな美しい思い出の場所に、お客様に不安なまま来場していただくのか。コロナ対策をしっかりするための入場制限が必要ではないか。後でセールスの担当から聞いた話ですが、同社の会議では「このまま閉園するのも致し方ないのでは」という意見と、「なんとかお客様を安全に受け入れる方法はないものか」という意見の間で揺れていたそうです。

そこにアソビューのセールス担当の野々松は寄り添いました。日時指定電子チケットをどう活用すれば良いのか、受け入れオペレーションをどう構築すれば良いのか、とことん考えて提案したのです。

その時窓口になっていただいた、としまえんのご担当者は、すでに定年を迎えて嘱託社員として経営を支えていました。その方にとっても、一言では語り尽くせない思い出がこの歴史ある遊園地に詰まっていたことでしょう。

「最後の花道をなんとか飾ってやりたい」

そのご担当者は経営陣に話を持っていってくれたそうです。日時指定電子チケットの仕組みを使えば、最後の営業が叶うかもしれないと。

想いは通じ、としまえんは営業再開を決断しました。

「このままコロナに負けて終わるよりは、やってみよう」

こうしてとしまえんは日時指定電子チケットの導入を決めてくださったのです。

そして営業再開。

ニュースでも大きく報じられましたが、としまえんの閉園を惜しむ人たちが夏休みに集まりました。発売される日時指定電子チケットは連日即完売。近年まれに見る入場者数を記録し、大盛況だったそうです。

8月31日、最終日の日時指定電子チケットも、連日のチケットと同様に即完売。ニュースでは閉園を泣いて悲しむ家族連れや、親子3代でお世話になったと感謝を述べる人の声などが報じられ、SNS上には「ありがとう!」「大好き!」といった感謝と愛の言葉が

カルーセルエルドラドに並ぶ人たち／時事

飛び交っていました。

最終日は野々松とともに、僕も園にお邪魔させていただきました。

「アソビューさんのおかげで最後まで営業できました。パートナーとして心強かったです。本当にありがとうございます」

そう社長に言われた僕は、お役に立てた嬉しさで思わず泣きそうになりました。

カルーセルエルドラドが走馬灯のように、鮮やかにクルクルと回っています。訪れた多くの人は笑顔で涙を流していました。笑顔の女の子を抱きかかえたお父さんの瞳にも涙が浮かんでいました。みんな、この遊園地での思い出に浸っているのでしょう。僕はその光景を眺めながら、縁の下の力持ちの喜びを噛み締めていました。

もし、日時指定電子チケットをご提案していなかったら？　としまえんの最後の営業はできたでしょうか？　もしかしたらあの笑顔や涙を間近で見ることはなかったかもしれない。

感無量です。本当に良かった。

2年目社員が社長を超える

日時指定電子チケットに関しては、こんな話もあります。

5年ほど前、僕はアソビューでチケットを取り扱わせてもらうべく、地方の某有力レジャー施設に営業に伺いました。その地域で知らない人はいない、近隣県からもたくさんの人が訪れる「地域の雄」と呼ぶべき有名な施設です。

社長である僕自ら「絶対に契約してもらおう」という気満々で赴きました。当時の僕は現場の営業から離れていたとはいえ、リクルート時代にはMVPを取った男です（笑）。自分が開拓できない案件などない。メンバーに実力を見せつけてやろうと思い、腕を鳴らして新幹線に乗り込みました。

しかし、結果は全然ダメでした。

3度通い、何人かの役員にもお会いしましたが、箸にも棒にもかからない。売上とか業務生産性とか、そんな合理的な話は響かない。インターネットでさらなる集客を提案しても、あからさまに「面倒」という顔をされてしまう。

2010年代にもなって未だに？　と驚かれるかもしれませんが、当時も、なんなら今も、「インターネット」という言葉に対する地方での拒否反応はそれほど珍しくはありません。

スマホもそうです。「チケットのスマホ対応はマスト」などとはよく叫ばれますが、日本人のスマホ普及率は80%くらいで、ガラケーを使っている方はまだまだいます。年配層に限ればかなりの比率でしょう。スマホ前提でサービスが設計されていることに抵抗感を示す年配の経営陣がいるのは、なんら不思議なことではないのです。

僕はなんの成果もあげられず、メンバーにいいかっこをすることもできず、肩を落として東京に帰りました。

あれから5年。なんと新卒2年目の石川が、その施設の日付指定電子チケット導入をやってのけました。

他施設への導入実績を継続的に情報提供し、諦めずにリレーションを育て続けていたところ、ついに先方から連絡が来たのです。「アソビューさん、すごい実績じゃないですか」という反応だったそうです。

社長の僕が契約できなかった案件を、新卒2年目が実現できた。無論、この5年間にアソビューが実績を積み上げ、目をかけていただける存在に成長したから、という側面はあるかもしれません。有事という特殊な状況下も追い風になったと思います。

ただ、それらを差し引いたとしても、営業に自信のあった僕でも相手にされなかった施設に対し、若いメンバーが信頼を獲得して新しい価値を提供できた。その偉業に、疑いの余地はありません。ちょっぴり悔しい気持ちもありましたが（笑）、アソビューという組織が、人が、着実に成長していることを実感できて、心から嬉しく思いました。

前年比成長率232パーセント！

日時指定電子チケットが各施設に導入されて、僕は3つのことに気づきました。

まず、コロナ云々は関係なく、もともとレジャー施設は敷地に人を入場させすぎだったのではないか？　ということ。

施設側からすれば人がたくさん入っていたほうが利益率は高い。でも、ゲストの満足度はどうでしょうか？　誰でも混んでいないほうが楽しいに決まっていますよね。実際、日時指定電子チケットに対する反応の中には「混んでいなくて快適だった」という喜びの声も多くありました。

また、今まで受付において人力でチケットの販売や入場のもぎりをやっていた業務オペレーションは、システムを活用すれば効率化できるということ。これによってゲストの接客など重要な部門に人を配置転換できるようになったのです。

さらに、入場者のデータを細かく取得できるのは、施設にとってマーケティング施策の費用対効果の振り返りができたり、次の投資が妥当かどうかの判断にもつながったりするということ。つまり、経営の効率化に役立つのです。

これら3点において、日時指定電子チケットは単にコロナ禍を乗り切るだけの施策ではなく、今後のレジャー施設運営におけるスタンダードになりうる仕組みだと思います。

日時指定電子チケットはその後、東京スカイツリーや大阪のひらかたパークといった大規模施設に続々と導入され、アソビューの売上はぐんぐん伸びていきました。２０２０年

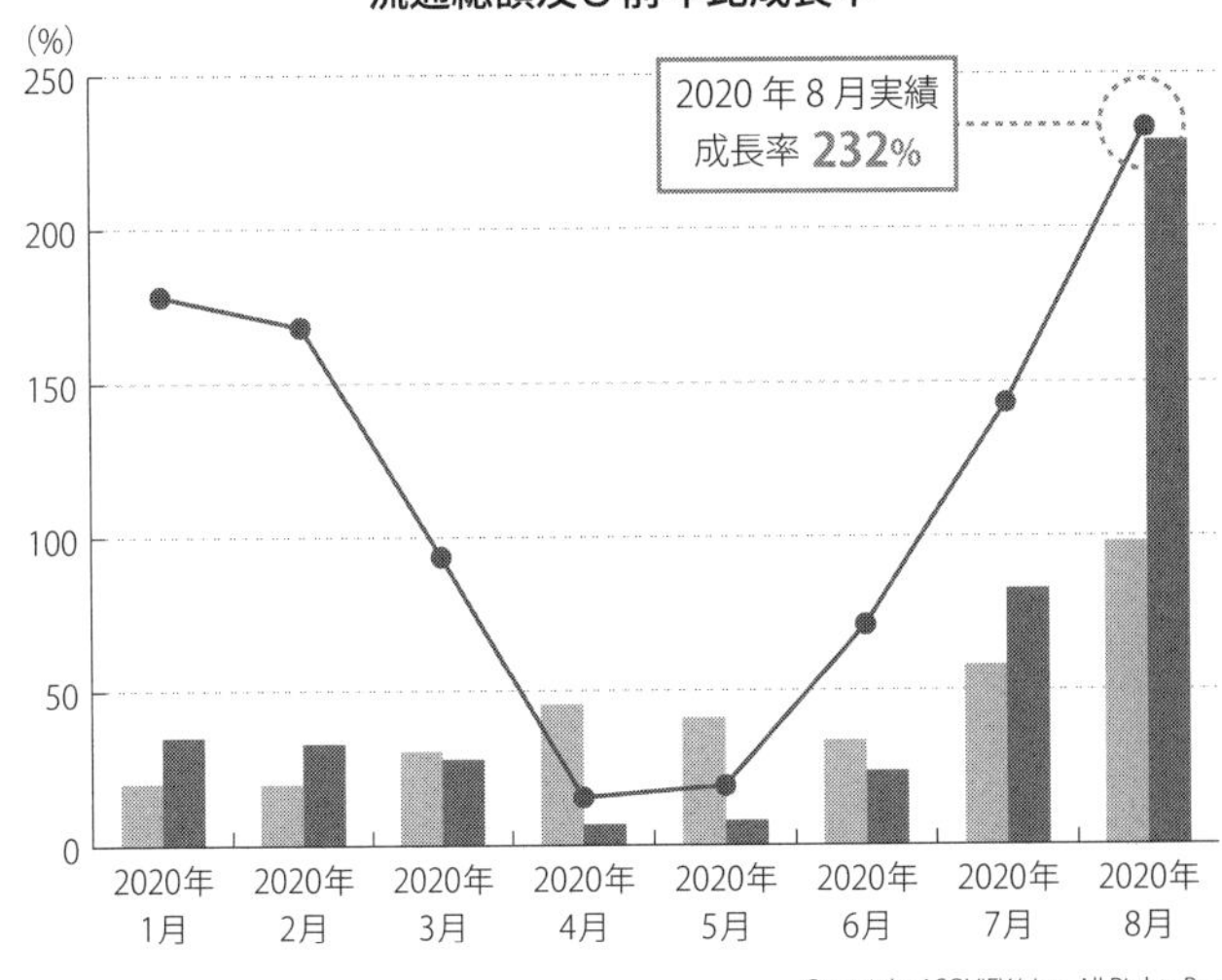

8月のある週は、2019年の同時期に比べてなんと232パーセントもの成長率を記録します。

いいですか、2019年8月はコロナ前の「平時」です。とくに業績が悪かったわけではありません。その「平時」に比べて「有事」の2020年8月に、前年対比成長率232パーセント。目論みを遥かに超える実績です。

時代のニーズと真摯に向き合い素早く動けば、これだけの追い風が享受できる。この成功体験によって、僕は経営者としての目線が確実に上がりました。

ただ、落ち着いて幸せを享受できたのはもう少し後の話です。当時は僕にも社員にも、そんな余裕は一切ありませんでした。

特に夏休み終盤となる8月後半は毎日が修羅場。経営チームもインフラチームも営業もサポートも、日々励まし合って「(サーバーを)落とすな、落とすな」と祈りながら、多忙な業務をこなしていました。

施設オペレーションがうまくいっていることを聞きつけた他施設からの導入依頼も、次々と舞い込みます。大変嬉しいことではあるのですが、出向で何人も減っていましたから、とにかく人手が足りない。

それらと並行して何度もシステムのバージョンアップを繰り返していたこともあり、各セクションがてんてこまいで、売上回復をのんびり祝うようなムードでは全然ありませんでした。

8月のヤマを越え、9月も何とか乗り切った10月。ついに日時指定電子チケットの事業管掌役員の米山が、疲労困憊で一時離脱をしてしまいました。絶体絶命の渦中にいる時、人は倒れない。その危機を脱した瞬間、緊張の糸がぷつりと切れる。僕も何度か経験したので、よくわかります。本当に、多くのメンバーに無理をさせてしまいました。

でも、そのおかげでアソビューは文字通り息を吹き返しました。僕たちは一致団結して総力戦に挑み、生き残ったのです。

コロナ禍を乗り切るための「戦術リスト」⑤

前提条件：コロナ禍が終わること

目的：①事業（会社）の継続　②雇用の維持

<table>
<tr><td colspan="3">手段</td><td>現金獲得
価値貢献</td><td>コスト削減</td></tr>
<tr><td colspan="3">必須事項</td><td>◦ **補助金の徹底活用**
・資金調達（エクイティ）
・資金調達（デット）</td><td>◦ **役員報酬カット**
◦ **即時の休業1/3**
◦ **経費の徹底削減**</td></tr>
<tr><td rowspan="4">対象</td><td rowspan="3">顧客</td><td>ゲスト</td><td>◦ **おうち体験キット**
◦ **応援チケット**
◦ **オンライン体験**
Zoom似顔絵
◦ **三密バッジ**</td><td>◦ **広告費宣伝費カット**</td></tr>
<tr><td>パートナー</td><td>◦ **日時指定電子チケット**
無償施策スタート
◦ **感染拡大防止ガイドライン**
◦ **応援早割チケット**
◦ **給付金活用の案内**</td><td>―――</td></tr>
<tr><td>新規顧客</td><td>◦ **野武士コンサル**</td><td>―――</td></tr>
<tr><td colspan="2">従業員</td><td>◦ **成長機会の提供（出向）**
◦ **休業の早期解除**</td><td>◦ **出向**
◦ **有期雇用者の**
契約終了</td></tr>
<tr><td>個人</td><td colspan="4">◦ **ランニング**　◦ **Netflix**　◦ **料理**</td></tr>
</table>

コネクティング・ザ・ドッツ

僕たちの〝籠城戦〟をふと思い返してみます。

雇用シェアのアイデアと成功の確信は、かつて人材業界での経験と自治体職員を受け入れた経験があってこそ、思いつくことができました。

普段からの友人が情報をシェアしてくれたおかげで、野武士コンサルの仕事が受注できました。

日頃から官僚や政治家とコミュニケーションを取っていたからこそ、スタートアップへの貸付や、「ＧｏＴｏトラベル」を日帰りにも適用させることができました。感染防止ガイドラインの「お墨付き」も、そういったコミュニーケーションの下地なくしては実現できなかったでしょうし、その感染防止ガイドライン作成というプロセスがなければ、日時指定電子チケットの発想もありませんでした。

一見して遠回りかもしれないこと、労多くして功少なしに思えることも決して無駄ではなかったことは、有事にこそ思い知る。コロナ禍においてそのことを痛感した経営者は、僕以外にもたくさんいたと思います。

これら「平時の資産が有事を左右する」は、いわゆる「コネクティング・ザ・ドッツ（点と点をつなげる）」と同じ意味だと思います。

ご存じの方も多いと思いますが、〝Connecting the dots〞は、アップル創業者のスティーブ・ジョブズが２００５年にスタンフォード大学の卒業式の演説で語った言葉としてもよく知られています。その部分のスピーチを引用してみましょう。

You can't connect the dots looking forward.
未来を見通して点をつなぐことはできない。

You can only connect them looking backwards.
できるのは過去を振り返ってつなぐことだけ。

So you have to trust that the dots will somehow connect in your future.
だから、いつか何らかの形で点がつながると信じるしかないんだ。

You have to trust in something — your gut, destiny, life, karma, whatever.
信じ続けよう。直感、運命、人生、カルマ、何でもいい。
This approach has never let me down, and it has made all the difference in my life.
この考え方が僕を裏切ったことは一度もない。そして僕の人生をまったく別のものに変えたんだ。

ジョブズは学生時代、カリグラフィー（文字を美しく書く技術）に興味を抱き、その授業に潜り込んでいました。ただ、その時はそれが何に役立つかわかっていませんでした。

しかしその10年後、ジョブズがMacを開発する際、フォント（書体）を美しく表示させることがいかに大切かを思い起こし、そこに徹底的にこだわりました。その結果、Macはそれ以前のパソコンにはなかった唯一無二の魅力を帯びることになり、クリエイターを中心に支持され、やがて世界中の人に愛されるようになったのです。

僕が平時にやっていたさまざまなことは、ビジネスに直接的な利益をもたらすものではなかったかもしれません。しかし有事に際して、それらの点（ドット）がうまくつながり、フル活用した結果、活路を開くことができました。

今まであえて回り道をしたつもりはありません。ただ目の前のことを大事に一生懸命やってきたら、結果的に有事に応用できたということです。

有事の時に何かを新しく立ち上げても成果を出せる確率は低いかもしれませんが、平時から準備されていたものは、有事においても必ず活用できます。それがコロナ禍を乗り越えた僕にとっての最大の学びでした。

ジョブズで言うところの「カリグラフィーの授業」にあたる僕自身の「ドット」は、アソビューを起業するずっと前から、打ち続けていたように思います。

2003年の冬。僕は千葉の実家から都内の大学に通う、世間知らずの20歳でした。

第5章

起死回生の新規事業を最速でやり抜く

□観光先進地ハワイに学び
感染防止ガイドライン作成に乗り出す
□政府のお墨付きを得て、
短期で感染拡大防止ガイドラインを完成
□入場者数を制御する「日時指定電子チケット」のシステム構築に乗り出す
□できるだけ既存のシステムを流用し、足りない部分は人力で補って、
日時指定電子チケットシステムのバージョン1を完成させる
□「導入費無料」で全国のレジャー施設にシステムを導入してもらう
□「東京オリンピック」方式でサーバーダウンを避ける
□「としまえん」最後の営業にも貢献する

第6章

起業の原点と「点と点がつながる」瞬間

「情報の非対称性」が歯がゆい

アソビューを起業したのは2011年3月ですが、起業のきっかけはその7年以上も前、大学1年生だった2003年の冬にさかのぼります。僕は千葉県柏市で、「En's（エンズ）」というフリーペーパーを創刊し、累計30万部規模のメディアに育てました。

僕が生まれ育ったのは千葉県松戸市ですが、最寄り駅は北小金といって柏のほうが近いため、遊び場はもっぱら柏。関東地方の一部の方しかご存じないと思いますが、柏は〝千葉の渋谷〟と言われるほどの千葉県屈指の繁華街です。

当時、僕は松戸の実家から東京の大学に電車で通っていました。路線は常磐線の各駅停車直通の地下鉄千代田線だったので、沿線には「明治神宮前」、つまり原宿があります。なので休日は大学の定期券を活用し、原宿や渋谷あたりを散策していました。

その一方で、地元・柏の居酒屋でバイトをはじめたのですが、その時期くらいから柏駅近くの裏通りにある、古着屋や雑貨店などが数十軒集まるエリアが、感度の高い若者たちの間で注目されるようになります。

このエリアは「裏原（裏原宿）」に倣って「裏カシ（裏柏）」と呼ばれていました。都内でのショップ勤務を経験した方が独立して立ち上げたセレクトショップ、昔から地元に根をおろしているこだわりの飲食店、趣ある一軒家カフェなどがありました。

ただ僕は、こんなにも素敵なお店がたくさんあることを、バイト先の居酒屋に飲みに来てくださるお店のスタッフの方々に教えてもらうまでは詳しく知りませんでした。高校時代も柏が遊び場だったのに、素通りしていたというわけです。僕は思いました。

「裏カシの魅力が若い子たちに知られていないのは、もったいない！」

おしゃれなアイテムが東京よりも安い価格で落ち着いて選べる。しかも地元で。なんて便利なんだろう！　でも当時はまだ、裏カシの魅力が地元の若者たちに十分には伝わっていませんでした。

これは後にリクルートで学んだことですが、「情報の非対称性」と呼ばれる市場環境です。簡単に言えば「売り手が持っている情報と買い手が持っている情報に差があるため、市場が効率的に回らない」ということ。これを裏カシの状況に当てはめて説明すると、店側は「自分たちは良いサービスを提供しているけど、知ってもらえる機会がない」。ユーザー（若者たち）は「近場で良いサービスがあるなら知りたいけど、知るすべがない」。価値を届ける側と受け取る側がうまくマッチングされていないのです。

結果、裏カシの経済は非常に非効率的なものになっている。店もユーザーもどちらも機会損失をしている。これはなんとももったいない。

これを解決できれば、この街はもっと盛り上がるに違いない。若者と地元をつなぐハブになりたい。そう考えた僕は二者の情報格差を埋めるため、仲間と一緒に裏カシのショップ情報を載せるフリーペーパーを立ち上げる決意をしました。これを若者たちに配れば、情報の非対称性は解消されるに違いないと。

余計なことと言えば余計なことです。誰かに懇願されたわけでも、ましてや社会的使命に突き動かされたわけでもありません。ただただ何か挑戦してみたくて始めた活動ですが、この経験を通じて得た感情が後年、起業を決意する原点になるのでした。

やり遂げるしかない

結論から言うと、フリーペーパー作りはめちゃくちゃ大変でした。

フリーペーパー、すなわち無料冊子のビジネスモデルというのは、広告主（この場合はショップ）から広告費をいただいて印刷費用を捻出するというもの。つまり広告費が印刷代を上回らなければ赤字になってしまいます（細かく言えば人件費や諸経費もありますが）。

ところが、僕は居酒屋のバイトしかやったことがない千葉在住の大学生。ビジネス経験なんてありません。それにもかかわらず、裏カシのショップに広告営業を展開しました。営業にはどうやら「企画書」と「名刺」が必要だと知り、Wordで資料を作り、キンコーズで名刺を急ごしらえ。

ある古着屋にアポなし訪問しました。

「うぃーっす、こんにちはー」

元気良くオーナーに声をかけて名刺と企画書を渡した途端、彼はこちらを一瞥。いきなり企画書をビリリと破られました。

「お前なんなんだよ。営業中だぞ？」

めっちゃ……怖かったです。

が、無理もありません。当時の僕はビリビリに破れたダメージジーンズに茶髪、ロン毛。そんな若造がいきなり訪店し、営業させてくれと言う。怒って当然ですよね。

以降は反省し、営業活動のやり方に修正を加えていったのですが、大変だったことに変わりはありません。何のノウハウも、何のコネクションもなく、いきなり「フリーペーパーやるから広告出してください」って、ねえ。

なぜそんな大変なことをやろうとしたのか？

「この街がもっと盛り上がってほしい」という気持ちに偽りはありません。「情報の非対称性を解消したい」も本当でした。

でも、もうひとつ強い、個人的な動機がありました。

僕は大学受験に失敗していました。通っていた大学は第1志望ではなかったのです。

高校は地元でも有名な進学校だったのですが、3年間サッカーばかりやっていてまったく勉強しておらず、当然ながら浪人しました。そこで1年間受験勉強を頑張ったつもりだったのですが、サッカーしかしていなかったので、どうやら勉強のやり方を忘れてしまったみたいで……（苦笑）。

結局浪人しても第1志望には受からず、失意のうちに第2志望に入学。その屈辱は二度と味わうまいと思った僕の潜在意識には、こう刷り込まれました。

「大学時代に何かしらチャレンジをして社会人になる準備をしておかないと、きっとまた同じことを繰り返す！」

だからいくら難事業でも、社会人になるための成長の機会として、フリーペーパーはやり遂げるしかなかったのです。

大学生のフリーペーパーが街の縁をつなぐ

広告を集めるのは本当に苦労しました。でも、やるしかない。

創業時の仲間は3人でしたが、みんなとは「何があっても創刊号だけは出そう」と励まし合っていました。とにかく1号だけはなんとしても出す。もしなんの反響もなかったらそれで終わってもいい。そう考えていました。

苦労が実って広告が集まり、晴れて1号目が出せることになりました。嬉しいことに持ち出しはなし。ちゃんと広告収入が印刷代を上回ったのです。

創刊日は忘れもしない2004年12月15日。印刷部数はなんと1万5000部。なんの経験もコネクションもないフリーペーパーの創刊号としては、誇れる部数です。それを、柏のいろいろなショップに置かせてもらい、柏駅前のダブルデッキ（柏駅東口にあるペデストリアンデッキ）で手配りしました。配っても配ってもなくなりませんでしたが、それでも毎週末通って徹底的にやりました。

その甲斐あって、反響は予想以上。広告主であるショップ店主からも、「お客さんがノリーペーパーを手にして来てくれてるよ」「お客さんが増えたよ」「すごいじゃん！」とありがたい言葉をいただきました。

僕たちが駅前で配ったフリーペーパーを見た柏周辺の若者たちが、こんな面白そうなお店があるんだと知り、足を運んでくれた。心の底から嬉しかったです。

当初広告のお願いに行って懐疑的だったお店も、創刊号の評判を体感してくれたのか、態度は一変しました。「次出す時は、声かけてね」

誌面には編集部の連絡先を記載していました。創刊後に「柏の街はいいお店がありそうだけど、どこにあるかわからなかったし、見つけてもなんだか入りづらかった。でも誌面で紹介されていたから、街歩きが楽しくなりました」といったお便りも届きました。気持ちいいくらい、狙い通りの反応です。

誌面制作のボランティアスタッフの募集にもたくさんの人が応募してくれました。志望動機を聞くと「センスがいいフリーペーパーで、街を盛り上げる活動を一緒にやりたい」。「En's」の「En」は「縁」と「円」のダブルミーニングです。それぞれ孤立した点と点が縁をつないでいくことによって柔らかなつながりができ、それがやがてひとつの大きな「円」に発展して、街が盛り上がればいい。その想いが少しずつ形になっていきました。

「En's」は柏地域での高い認知力を武器に、かなり本格的なクラブイベントをオーガナイズしたりもしました。そこには、当時ＤＪ活動を本格化しはじめた有名俳優や、クラブ側から「売出し中の若手」として紹介された、今や紅白歌合戦にも出演するＲ＆Ｂシンガーも出演してくれました。

まだブレイク前のナオト・インティライミさんの当時のマネージャーから事務所に電話がかかってきたこともあります。「取材してほしい」と。取材後に本人とも仲良くなり「自分のＣＤをショップに置くのに協力してほしい」と街中のお店を一緒に回ったこともあります。路上ライブでは全然お客さんが集まらなかったので（笑）、スタッフ総出で駆けつけたこともありました。その彼がのちに武道館アーティストになるわけですから、縁というのは不思議なものです。

「En's」は最終的には累計で30万部も発行され、「En's」と僕たちのチームは、「裏カシ」の間で一種の〝アイコン〟として認知されるに至りました。

こんなに素敵な仕事はない。社会の役に立ち、人から感謝されることの、うち震えるような幸せ。としまえん閉園時に味わったのと同じ種類の充足感を、僕はその16年前の時点で既に体験していたのかもしれません。

柏市の柏駅周辺のうち、古着店やカフェなどの新規出店が相次ぐ「裏柏（ウラカシ）」と呼ばれるエリアを紹介した無料情報誌「En's（エンズ）」が好評だ。1日には第4号が発刊され、「ウラカシ」の店先に並んでいる。

ウラカシ

裏柏!!

大学生ら編集 無料情報誌 好評

最新号を手にする石戸さん（左）と山野さん

「ウラカシ」は、若者が集う商業スポットとして注目を集めている。情報誌では、同エリアの古着店や飲食店、美容院などを紹介しているほか、行き交う人のスナップ写真や読み物なども掲載している。最新号では、同駅周辺で路上喫煙への過料徴収が始まったことを受けて「たばこ」を特集。ほかの号でも、「ニート」など若者を巡る問題や、柏市長インタビューといった柏市にかかわりの深い事柄を記事にしてきた。

編集にあたっているのは、19〜23歳の学生や社会人ら男女11人。明治大3年の山野智久さん(22)と上智大4年の石戸亮さん(22)が代表を務めている。

発刊のきっかけは、山野さんが昨年6月、「ウラカシ」で偶然立ち寄った骨董品店。店は目立たない場所にあったが、「夜はバーにしたい」と話す20歳代後半の男性店長に興味を持ち、「こんな店の存在を知ってもらいたい」と、中学生のころからの友人だった石戸さんに声をかけた。

2人にとって柏は、魅力的な店が立ち並ぶ一番身近な「遊べる」街。石戸さんは、「同世代を柏に引き寄せたい」と話す。

第1号はA5判20㌻で、昨年12月に1万5000部を発刊。最新号は48㌻に増え、2万5000部を発刊した。印刷費などをまかなう広告の掲載店舗数は、17店から35店に倍増に、雑誌を置いてくれる店の数も倍増して現在は約200店になった。

最近始めたホームページには、県外からも問い合わせが寄せられている。山野さんらは、「柏をもっと盛り上げたい」と、より広く情報発信できる方法を模索中だ。

学生時代に創刊した「En's」が新聞に取材される

営業でトップになる！

大学3年になって就職活動が視野に入ってくると、自分が将来何をしたいのかを深く考えるようになりました。

当然、「En's」のような意義や喜びを仕事にも求めたい。

世の中にないものを生み出して、その世の中の人たちに喜んでもらいたい。

自分がつくったサービスによって何かが便利になったり、より快適になったり、よりなめらかになってほしい。自分が関わることで、ビフォアよりアフターが良くなってほしい。

自分がリスクをとって挑戦したい。

そういうことなら、僕は心から楽しんでやれるだろう。だから答えはひとつでした。

「起業しなければ、それはできない」

世の中にないものを生み出し、世の中の人たちに喜んでもらいたかったら、しかもそれを自分の手でリスクをとって実現したかったら、起業以外に方法はない。そう思うに至り、僕は就職活動を始める前から起業の道を決意していました。

とはいえ、です。「就職」ではなく、いきなり「起業」にする？

たしかにフリーペーパーはうまくいったし、それを続けていってきちんとビジネス化する手もあるかもしれない。ただ、柏という街だけでやっていく分にはいいけど、より広い範囲に影響度を広げていこうとしたら？　次は松戸に広げる？　それとも流山？　全国への展開は何年後にどうやって？　当時の僕には、どうにも自信がありませんでした。

そこで僕は、当時「社長輩出企業」と言われていたリクルートに入社します。ここで改めて起業するための研鑽（けんさん）を積もうと。２００７年４月のことでした。

僕は入社にあたって、営業でトップになると最初から決めていました。それは名誉欲などでは決してありません。

フリーペーパーで苦労した実体験があったからです。

フリーペーパーの運営は常に「赤字になるかも」という不安との戦いでした。発行部数は当初の１万５０００部から最終的には３万部まで上がっていきましたから、印刷費は号を重ねるごとに増えていきましたし、クラブイベントを開くとなれば、先にデポジット（保証金）を店に支払う必要もありました。一時的に現金が足りなくなり、あわや印刷費を学生ローンで補填しかけたこともあります。スタッフに対するささやかな協力費の捻出にも頭を悩ませており、金銭面での不安が途切れたことは一瞬たりともありませんでした。

「このまま事業を継続する自信がなかった」のは、そういう理由でもあります。

では、その自信をどこからつければいいか。「自分の腕で絶対に売上が獲得できるという、確固たる実績」です。それが将来的に、経営者として苦境にさらされてもやっていける糧(かて)になるだろうと思いました。

つまり「営業でトップ」という実績こそが、僕がいずれ起業するための必要条件だと思ったのです。

就職活動時、リクルートの花形は「HR(ヒューマンリソース/人材部門)のセールス部門」だと聞いていました。言うまでもなくHRはリクルートの主戦場。その中でも一番厳しい新規営業部門でトップを取る! そう決意して、内定後に担当してくれた先輩の人事社員に希望を伝えていました。

「どぶ板営業をやりたいんです。そこでトップの中のトップを取ったという実績が欲しいんです!」

そうして希望通りHRの新規営業に配属されたのでした。

「何のために入社したのか？」

配属された部署は前述の通り、メンタルがさして強くない僕にとっては相当きついところでした。最初の仕事は、渡された営業リストの60件に電話して、さらに30件に「ビル倒し」の飛び込み営業をし、3件の商談を獲得すること。入社したての何もできない新人ですから、当然何の発言権もありません。たとえて言うなら、ジブリ映画『千と千尋の神隠し』の油屋で働くことになった千尋。名前を奪われ、「ここで働かせてください！」みたいな心境でした（笑）。

ただ、僕には営業トップになるという目的があったので、いろいろと試行錯誤を重ね、少しずつ成果をあげていきました。

余談ですが、僕が入社してすぐ長時間労働の是正があり、22時までに完全退社、残業時間の制限も厳しくなりました。僕はむしろ不満だったので当時の部長に直談判しました。「この会社が不夜城だと聞いていたから入社しました。お金払ってでも勉強するつもりで来ました。起業したいからです。これでは入社時の条件と違うので22時以降も仕事をさせてください」

いやもう、怒られましたね。うるせえよ、若造が、と(笑)。

とは言え、なんだかんだで1年で下半期のMVPを取ることができ、部署内での信頼も獲得できていきました。厳しい分だけ超実力主義の、公平な職場でした。

これで「自分の腕で絶対に売上が獲得できる」という自信はできました。あとは起業のためになる学びが欲しい。そう考えた僕は新規事業部署への転属を希望し、受け入れられました。

しかし、結果的にそこでの葛藤が会社を辞め、起業へと背中を押すこととなります。

新規事業の立ち上げ部門にいる全員が手探りであり、オペレーションも構築されていないためとにかく忙しい。大した活躍も、貢献実感も得られないまま、月日が過ぎていきました。毎日忙しいは忙しいのですが、何かが違う。

そうして3年目の夏にふと気づきます。僕は起業したいと思い続けていたのに、なんの具体的なビジネスアイデアも、なんの準備もしてこなかったことに。

葛藤しました。僕はこのまま会社に所属して生きていくんだろうか。初志貫徹はいったいどこに行ったんだ？

大学生の頃を思い出しました。それまでになかったフリーペーパーを作って、お客様に喜んでもらうダイナミズムを感じ、それを再び味わうには起業しかないと思った。リクルートに来たのは、起業の準備をするため。起業のための筋肉をつけるため。

なのに、いつの間にか組織の一員として、お客様に喜んでいただけている実感もなく、大した貢献の手応えもないまま、ただ忙しく仕事をしている日々。なんならリクルートという大企業に所属していることに安心感すら覚えている自分がいる。なんとも言えない違和感、「これじゃない」感を覚えました。

僕は、新規事業の部門に引っ張ってくれた、お世話になった上司に退職の意向を伝えました。２０１０年1月のことです。

さぁ退職が決まったぞ。すべてはここからだ！　しかし……。

その時点で僕の中に、起業のビジネスアイデアは何ひとつありませんでした。

顧客主義を実現するのは「成長産業」

僕はただでさえ忙しい会社、忙しい部署に所属し、かつ、最後まで担当業務が多かったこともあり、辞めた後に何をするかを、まるで考えていなかったのです。

「さあ、これから起業して、夢見た未来が待ってるぞ。……って、あれ？　具体的に何をやるんだっけ？」

救いがあったとすれば、実際に退職する5月末日まではたっぷり時間があること（笑）。具体的にどんなビジネスをやればいいいか。僕は、起業にあたって以下の3つを満たすものをビジネスにしようと決めました。

①社会のお役に立つ
②成長産業で勝負する
③世の中にないサービスを提供する

「①社会のお役に立つ」に説明はいらないでしょう。フリーペーパーで得た喜びが原点です。誰かのためになり、お客様に感謝される喜びを再び味わうには、社会のお役に立てる、お困りごとを直接解決できるビジネスがいい。

「②成長産業で勝負する」のヒントは、HRのセールス時代に担当した対照的なふたりのお客様です。

ひとりはプロパンガス会社の3代目の社長。僕のことをすごくかわいがってくれたのですが、求人の発注はあまりしてくれませんでした（笑）。

もうひとりはITセキュリティの事業をやっている会社の社長。今となっては顔も思い出せないくらい会う回数も少なく、アポにはいつも遅れてくる、もしくは連絡なしに来なかったりする、ちょっと困った方でした。ところが毎月のように求人広告の発注をしてくれたのです。

これが何を意味するか。「成長しているマーケットは手をかけなくてもどんどん仕事が舞い込んでくる」という事実です。

僕が心血を注ぎ、時間をかけて営業していたのは間違いなくプロパンガス会社の3代目社長です。しかし当時も今も、プロパンガスは都市ガスに押されてマーケットはどんどんシュリンクしていました。

斜陽産業の中では、経営者の人格がどんなに素晴らしくて誠実でも、経営手腕が優れていても、産業自体の成長率は変えられない。つまり人員拡大の余地がない。だから求人広告の発注もいただけない。

しかしIT業界は当時ものすごく伸びていたので、その社長がいかにだらしなくても、寝坊するような人でも、商談中にお酒臭くても（笑）、マーケットには常に人員拡大のニーズがある。だから求人広告もばんばん発注してくれる。

そうだよな、と膝を打ちました。

ひとりでも多くのお客様の役に立ちたいと思ったら、お客様のニーズがない所で勝負をしても意味がない。お客様のニーズが増えている場所に資本を投入し、価値を提供しなければ。成長産業で勝負することが多くのお客様に価値を提供するための手段だと、僕は考えたのです。

「旅行で困ること」100人アンケート

では、成長産業とは何でしょうか。

当時、内閣府が「クール・ジャパン」という言葉を打ち出していました。内需が縮小していく中、外貨を稼げるコンテンツを磨いていくのが重要であり、そのコンテンツ戦略こそが日本という国の成長戦略であるということです。

そこで挙げられていた領域は、「伝統工芸」「建築」「観光」「ポップカルチャー」「食」

の5つ。これらが国として掲げる成長分野です。

この中で自分は何が好きだろうと考えた時、迷わず観光が目にとまりました。僕は学生時代にヒッチハイクで国内を縦断していましたし、バックパッカーとしてアジアを旅したこともあります。そもそも旅行が嫌いな人なんてこの世にいるはずがない！　と思っていました（今でもそう思っていますが、嫌いな方がいたらごめんなさい）。

こうしてまずは、観光をテーマにビジネスを考えてみようと決めました。

では「①社会のお役に立つ」ためには？　これはもう、お客様が困っていることを解決すればいい。フリーペーパーが柏の店と、若者それぞれのお困りごと（情報の非対称性）を解消したように。

そこで僕は、友達１００人にアンケートを取りました。当時まだ流行りだしたばかりのFacebookを使って。

「旅行で困ってること、ない？」

すると、１００人中98人が「旅行先ですることに困る」と回答したのです。

旅行好きの僕としても確かに、と思いました。経験があったからです。宿を探すのはたいして苦労しませんが、現地に到着してご飯を食べてからチェックインするまでの時間や、朝10時にチェックアウトして、すぐ帰りたくないから昼過ぎに帰路につくまでの時間。ここで何をするかは結構困るんですよね。

「現地で何をするか」を解決するサービスがあるのかなと調べてみたら、情報が一元的にまとまっているものはありませんでした。これって誰もやってないじゃないか！　だったらそれを事業にしようと決めました。

これは「③世の中にないサービスを提供する」も同時に満たすものでした。

情報の非対称性をなくすマッチングプラットフォーム

「観光」であり、「現地で何をするかというお困りごとを解決するサービス」。ここまでは決まりました。では、そのサービスとは一体どういうものでしょう。アイデアの解像度をどんどん上げていきます。

最初僕は、観光地の駅前にある観光案内所（インフォメーションセンター）をクラウドでやったらどうかと考えました。でもそれはコールセンターと変わりません。既存のインフォメーションセンターは無料なので、あえてやったところでお金を稼ぐのは難しそうです。

じゃあ、現地の周遊ルートを「クックパッド」の料理レシピのようにデータベース化して検索できる仕組みはどうだろう？　観光客と地元のガイドさんをマッチングさせるサービスは？

こんなふうに色々なアイデアを出して検証を重ね、最終的に決まったのが、現在のアソビューの原型である「旅先のアクティビティやツアーを事前予約できるプラットフォーム」でした。これならビジネスモデルが成立するはず！

今まで現地でのアクティビティ——スキューバダイビング、乗馬体験など——は、ホテルに置いてあるチラシを見て、「明日は帰りの時間まで3時間空きがあるから、行けるな」などと考えてその場で電話して予約するのが普通でした。つまり、現地に行ってみないとどんなアクティビティがあるかがわからない。

もちろんアクティビティを提供する事業者が自分でサイトを持ち、そこで予約を取っている場合もありました。ただ、それらがまとまっているプラットフォームはありませんでした。旅行者はその地域のアクティビティを、自力で地道に検索しなければいけなかったのです。

これはまさにフリーペーパーを作っていた時と同じ。「情報の非対称性」の解消です。裏カシのショップと同じように、アクティビティ事業者は「存在を知らせたいけど、知ってもらえる機会がない」。旅行者は「知りたいけど、知るすべがない」。
これを解決できます。

「ごめん、波が良かったからサーフィンしてた」

当時は、事業者が個人でサイトを持っていたとしても、そこでオンライン予約できるようなシステムを組んでいるケースは大変少なく、多くは電話かメール予約のみでした。

これは過去の実体験ですが、ある都心から離れたビーチにあるサーフィン教室に予約を入れようと電話をすると全然出てくれない。忘れた頃に店主から折り返しの電話がかかってきて「ごめん、波が良かったんでサーフィンしてたよ」なんてこともありました。

当時は今よりずっと、地方に行けば行くほど現地のIT活用のモチベーションが低かったので、ホームページはあっても携帯電話番号が載っているだけです。利用者側としても、ガイドの個人携帯にこちらの番号履歴が残ることに抵抗もあったと思います。

そういう情報を一元的に掲載し予約代行するプラットフォームがあれば、問題はすべて解決できるはず。

早速現地に行って事業者に話を聞くと、価値提供できる余地があることがわかりました。多くの事業者はホームページを有効活用するノウハウがなく、「スマホ対応したほうがいいですよ」と提案しても具体的な手法がわかりません。SEO（Search Engine Optimization／検索エンジン最適化）やリスティング広告（検索連動型広告）の話をしようものなら、けげんな顔をされてしまう。

でも、皆さんお話しするとすごくいい人たちです。

地域の事業者が毎シーズン集まって川の掃除をしていたり、毎朝海のプラスチックごみを拾っていたり。自分たちが商売させてもらっている地域やフィールドに対して、感謝の気持ちや愛着がすごい。地域の伝統芸能や工芸技術を守るために、少しでも間口を広げる工夫をしてゲストを呼びたいという方もいる。皆さん大義があって商売をやられているのです。

そんな志や熱意はあり余る一方で、デジタルでの集客や顧客獲得の手法に関してはまったくといっていいほどノウハウがありませんでした。

ここに僕らがプラットフォームを作れば、彼らの集客課題や業務オペレーションの課題をワンストップで解決できる。むしろ僕らがやらずに誰がやる！　ニーズとニーズをつなぐマッチングビジネスは絶対に成立する。
そんなふうに僕は日々自信を強めていきました。

起業への熱意しかなかった

2011年3月、起業。創業メンバーは僕を入れて3人。すべてリクルート時代の新卒内定同期メンバーです。実は、声をかけた時にはまだ観光領域でビジネスをすることすら決まっておらず、「とにかく僕は起業する。でっかい夢がある。詳細は一緒に考えていこう」そんな感じでした。彼らもよく一緒に始めてくれたものです。

ただ、とりあえず会社を設立しましたが、事業が決まっていないのでオフィスを借りるお金は捻出できません。最初は某大学の食堂に1か月ほど勝手に入り浸り（ごめんなさい）、オフィス代わりに使わせてもらっていました。その後はメンバーの恩人が経営する会社に3席だけ間借り。なお、当時は家賃12万円の豊洲の団地にメンバー3人で住んでいました。

やがて、先述したようにプラットフォームでサービスを提供することが固まってくると、

創業メンバーの3人

僕は致命的な問題に気づきます。

創業メンバーにエンジニアがいなかったのです。

おいおい、という感じですが、インターネットサービスを作ったことがなかったので、仕方がありません。

少し弁解すると、当時は今ほど起業というもののノウハウが広く流通していませんでしたし、起業したい人向けのコミュニティやオンラインサロンも成熟していませんでした。すべてを本当に手探りでやるしかなかったのです。

これは後から知ったことですが、一部の起業家コミュニティや大学内の起業サークルなどは当時から存在していたようです。そこに属している人たち、そういうコネクションがある人は、学生のうちから積極的に有益な情報にアクセスしていたと思います。

ただ、当時の僕はあまりにも無知でした。大学時代はただただ大学と柏を往復して、柏の街をパトロールしていただけ（笑）。社会人になっても、恥ずかしながらそういうコミュニティが存在することすら当時は知りませんでした。起業したいしたいと言っているわりに、準備不足にもほどがありますね……（笑）。

友達を紹介してあわよくば開発費の足しにしようと思ったら……

エンジニアがいない、さて困った。

しかしここで、奇跡が起きます。

当時たまたま、Facebookで僕を見つけてメッセージを送ってきてくれた中学時代の同級生・江部（えべ）君が、これまたたまたま、僕の知っている有名なＩＴコンサルティング会社に勤めていることを知ったのです。

その頃の僕たちはまだ自社サービスがなかったので、人材領域のコンサルティングや転職エージェントの仕事を請け負っていました。具体的には、知り合いの会社のヘッドハンティングやスカウティングなどの中途採用支援です。僕は元リクルートで人材領域の経験がありますから、これらの業務には知見があったのです。

江部君の勤めている会社がどのような会社かは、そのヘッドハンティング業務を通じてよく知っていました。さらに、ちょうどクライアントから、江部君の勤めている会社の人を採用したいという依頼を受けていました。彼と久々に会って、クライアントに紹介して入社することになれば、会社として紹介料をもらえます。

つまり僕は、あわよくば友達をクライアントに紹介してお金を得て、それをサービスの開発費に充てようとうっすら思っていたのです(笑)。

僕は「久しぶりにご飯しようよ」と江部君を誘い、今どんな仕事をしているのかをヒアリングしました。すると、彼はコンサルティングというより完全に開発側、エンジニアをやっているとのこと。しかも、仕事でも自己研鑽としても、いろいろと技術のキャッチアップに励んでいて、インフラ構築からアプリケーション開発まで、フルスクラッチでできるというではありませんか。

「できんの!? マジ?」

僕は思わず声をあげ、彼をクライアントに紹介するという考えを引っ込めました。

アソビューにジョインしてもらいたくなったからです。

彼に仲間になってもらいたかったのは、高いスキルを持っていたからだけではありません。まず第一に中学の時から知っており、人として信頼できたから。加えて、僕と価値観がすごく合っていたのです。彼は言いました。

「自分が生み出したプロダクトでたくさんの人の役に立ちたい」

「世の中にないプロダクトを作りたい」

え、それ僕と一緒じゃん！

聞けば、いずれはそういうことをやっている会社に移るか起業してチャレンジしたいとも言っていました。だから迷わず言いました。

「だったらそれ、今、僕とやらない？」

すると、その場で協力を即答してくれました。

彼が正式にアソビューにジョインしたのは2012年4月ですが、その前から忙しい仕事の合間を見つけては、副業でプロトタイプの開発に携わってもらいました。副業と言っても、当時は無償のボランティアだったのですが（笑）。

その江部君が、現在アソビューの取締役執行役員CTOを務める江部隼矢（じゅんや）なのです。

思えば僕は、これまでの仕事や人生の大事な局面で、こういう元々の個人的なつながりに何度も助けられました。同級生、友達、先輩。野武士コンサルで仕事が得られたのも友人らのSNS拡散でしたし、感染防止ガイドライン作成に尽力してくれたハワイ大学の岡田さんも高校の同級生です。だから会社の仲間も「社員」というよりは「仲間」というニュアンスのほうがしっくりきます。

だからこそ、ひとりも社員を解雇したくなかったのです。

サービスローンチ時は「無風」

元々の3人に江部君を加えた4人、のはずが、サービスのローンチを目前に控えた時期にひとり去り、ほどなくしてもうひとりも去ってしまい、常勤メンバーは僕と江部君のたったふたりになっていました。

サービスローンチ前は例の間借りしているオフィスに入り浸り。ただ、僕のエンジニアリングスキルはゼロなので、ローンチできるかどうかは江部君の双肩にかかっています。

彼は終始パソコンに向かい、一体いつ寝ているのかわからない状態。机にレッドブルを並べてずっと開発していました。

アクティビティ事業者への営業まわりは僕の担当でしたが、サービスローンチ直前の追い込みで僕にできることはそれほどありません。とはいえ江部君を置いて帰ることもできないので、夜中の1時くらいに「お疲れ～」などと言いながら彼の肩をマッサージし、一緒に10連泊しました。

2012年7月、ついに「アソビュー！（β版）」がサービスローンチを迎えます。その結果はというと……特に成果はなく、無風でした（笑）。広告は一切打っていなかったので、世間にまったく知られる機会がなかったのです。

もともと広告を打ったところで広告費をペイできないことは予想していたので、検索結果ページで上位表示されることによって、お金をかけずに集客する腹積もりでした。カッコいい言い方をするなら「焦らず、粛々と進める」。予約できるアクティビティも20施設弱しかなかったですし、小さく産んで大きく育てていこうと思っていました。

なぜそんなに悠長でいられたのか。並行して行っていた人材コンサルティングの受託で、しばらく一定の稼ぎは確保できるという自信があったからです。

人材コンサルの仕事は、アソビューが資金調達をするまでしばらく続けていましたが、そのスキルがまさかコロナで会社が危機に陥った時に「雇用シェア」で再び役に立つとは当時は想像もしていませんでした。これもまた、点と点がつながった結果です。

アソビュー！β版での売上と呼べるものが出てきたのは翌年、２０１3年の夏です。夏はアウトドアが活況を迎えるシーズンで、もともと需要がある時期。そこに加えて、アウトドア事業者やインストラクターは海外でのガイド経験がある方も多いので、わりあいＩＴリテラシーが高く、僕らの「スマホで集客しましょう」という提案にも聞く耳を持ってくれました。少なくとも、「君たち何を言ってるの？」という感じではない。それが功を奏して少しずつパートナー（アクティビティ事業者）が増えていき、それに連動して利用者数も増加していったのです。

　同時に、さまざまな人の紹介や尽力に助けられて地元の観光協会につないでもらい、パートナーを増やすこともできました。リクルート退職から3年、僕はようやく「いけるかも」という微(かす)かな手応えを得ることができたのです。

自ら予約電話に対応して気づいたこと

アソビューのコンセプトは「週末の便利でお得な遊びの予約サイト」ですが、実は創業時にはなかった概念でした。

きっかけは2013年の夏。当時は「リクエスト予約」といって、利用者がウェブ上で予約したら2日以内に事業者から確定のメール連絡が入る仕組みでしたが、利用者から「2日経っても連絡がないんだけど……」という問い合わせが頻発していました。

調べると、パートナーが予約の入ったことを知らせるメールを見ていませんでした。ただ、それも仕方のないこと。アソビューはローンチしてから1年も閑古鳥が鳴いていたため、登録していることを忘れかけていたパートナーも多かったのです。こちらから電話してみると、「誰だっけ？　アソビューさん？　ああそうか、ごめんごめん、なんかやってたね、そういうの」。それほどまでに当時は予約が入っていなかったのです。

ここで僕は、ちょっと待てよと思いました。

「2日間連絡を待つのが構わない人はいいけど、コールセンターみたいにすぐオペレーターと話して予約を確定させたい人もいるんじゃないか？」

そこで僕は、サイトの予約電話番号のところにアソビューの事務所の電話番号を表示させてみました。かかってきた電話には僕自身が出て、「ご予約のお電話ありがとうございます。アソビューサポートデスクでございます」と言えばいい。明るく元気な発音で！

そんなことをやっていたら、あるゲストからの電話でこんなことを聞かれました。

「伊豆のスキューバダイビング、どこがいいの？」

アソビューにいくつか掲載されているスキューバダイビングの事業者のうち、どこがおすすめかということです。以下はゲストとの会話です。

僕　「お問い合わせありがとうございます。ちなみに、いつどういった目的でご利用されるのですか？」

ゲスト　「長年付き合ってる彼女と、なんか新しい面白いことしたいねってサイトを見てたら、伊豆にスキューバダイビングあるじゃんと思って」

僕　「伊豆にご旅行ですか？」

ゲスト　「いや別に。どっかに遊びに行きたいだけなんですよ。だから伊豆でなくても、スキューバダイビングじゃなくてもいいかな」

そこで僕はゲストの住所を聞き、こう提案しました。

僕　「お住まいからそれほど遠くないところで、長瀞（ながとろ）のラフティングなんてどうですか？」

ゲスト　「ラフティングって何？」

僕　「ゴムボートで川を下るウォーターアクティビティです」

ゲスト　「何それ面白そう。それ申し込むよ」

後日、そのゲストから「めっちゃ楽しかった！　ありがとう」というお礼の連絡をいただきました。

「休日、なんか楽しいことないかな」は人類共通のテーマ

僕は、ああ、そういうことなんだと気づきました。

元々の発想は「旅行先で何をすればいいか困る」を解決するサービスの創出でしたが、それを包摂(ほうせつ)するもっと根源的なことを言えば、「休みの日になんか楽しいことをしたい」。これこそがサービスで課題解決すべきテーマじゃないかと。

ふと、リクルート時代を思い出しました。

毎日一生懸命仕事をして、いざ休日になると昼すぎまで惰眠を貪る。ダラダラと起き出し、ようやく活動が始まるのは夕方。たまに誘われた合コンに行っても、特にいいこともなく帰宅(笑)。

そんなふうにどうしようもなく時間を無駄にする生活を繰り返していた僕は、週末が終わるたびに、「なんて無駄な休日を過ごしてしまったんだあー。ぐあー」と毎回反省していました。

これです。

僕らのビジネスの出発点は、成長産業である「観光」でした。でもこれからの世の中に求められているのは、観光も含む、余暇時間をより充実させて思い出を増やすこと。そう気づきました。

望まない無為な休日を撲滅する。それこそが、過去「エコノミックアニマル」と揶揄されてきた「遊び下手」な日本人にとって、あるいは日本社会にとっての超重要な課題です。ものにあふれた現代、スマホをはじめとしたデバイスの進化で生活はどんどん便利になりました。でも結局のところ、日本人の休日の（下手な）過ごし方の課題感は、昭和の時代からそれほど変わっていない。

経済成長が鈍化してきた中、日本は欧米諸国と同じく成熟国になりました。成熟国では、経済成長のためにがむしゃらに働くというライフスタイルは影を潜め、もっと個人個人が「人生の充実度」に価値を置く。志向が変わっていくはずです。

しかし日本では、まだそのシフトチェンジがうまくできていない。であれば、ここは明らかに成長マーケットです。ユーザーのニーズと社会のトレンドが合致している。だけどまだ歯車が噛み合っていない。これはものすごく本質を捉えた社会の課題であるとして、自分の中でも腹落ちしました。

僕らは改めて「ここ」で勝負しようと決意を新たにしたのです。

もし僕らがこの部分をクリティカルに解決していくことができれば、アソビューは「旅行会社の第3極」や「オプショナルツアーのテックベンチャー」に留まらず、社会を変えられる大義を背負った会社になれる。

そんな自信を持てたのが2013年の夏でした。

第6章

起業の原点と「点と点がつながる」瞬間

- □届ける側と受け取る側の「情報の非対称性」に気づく
- □ショップを回って広告費を集め、フリーペーパーを作成
- □フリーペーパーで縁がつながり、イベントも開催
- □営業でトップになって自信をつけるために就職
- □起業するために退職
- □「成長産業」で起業することを決める
- □100人にアンケートをとり、事業の内容を探る
- □できる仲間を口説いてメンバーを集める
- □顧客との対話から核となる事業のテーマを知る

第7章

平時が有事を左右する。
危機のリーダーシップ

有事では合議制よりトップダウンが強い

コロナによる経営危機を、なぜ脱することができたのか。それを改めて俯瞰的に振り返ってみると、大きく4つのポイントがありました。

ひとつめは、トップダウン体制への一時的なシフトです。

先行きが予想しやすく、事業が成長トレンドにある時には、合議制で正解を見つけていく進め方が理にかなっているのかもしれません。現在も含め、平時のアソビューも合議制で意見決定しています。

しかし先行きの見えない状況下、すなわち「未曾有の有事」においては、合議制は必ずしも良い方向には働かない可能性があります。合議に参加するメンバーの誰もが有事の際の経営を経験したことがなく、経験則が役に立たないばかりか、ディスカッションに時間をかけていては、状況がどんどん変化（悪化）していく恐れがあるからです。

その場合は、意思決定権を持ったリーダーが迅速に決断し、トップダウンで実行させたほうがうまくいく確率が上がるはずです。

近年はＶＵＣＡ時代と言われています。ＶＵＣＡ（Volatility, Uncertainty, Complexity, Ambiguity）とは「先行きが不透明で、将来の予測が困難な状態」を意味します。

そんな時代において、世論に広く耳を傾ける民主主義国家より、トップダウンの独裁国家の方が経済成長率が高いという調査もあります。ノウハウがない、誰も正解がわからない、スピード感が求められる有事においては、合議制は意外にもろい。

コロナ禍のような誰も経験したことのない有事においては、どんなに百戦錬磨の経営者であっても正解を見いだすのは非常に難しい。経営会議を何度重ねても時間ばかり食ってしまい、全員が納得する結論をなかなか導き出せません。

ですから大事なのは、世の中のルールがまるごと変わってしまった時点で、トップが覚悟と責任を持っていち早く動き、決断することです。

発災時に、「じゃあ、どこに逃げるかを町内会の班長を集めて話し合おう」なんて言う人はいませんよね。災害時の避難場所について詳しく、かつリーダーシップをとれる人が「みんな、こっちに逃げろ！」と大声を出すのが効果的なのです。

個人個人の思考の自由や意見表明の機会が失われることは、百も承知。しかしそれほどの有事においては、１秒でも早くやることを決め、有無を言わさず実行できる体制が強いことは間違いありませんし、そういう組織こそ生き残れると僕は思います。

トップダウンで意思決定された施策が最も効果的かどうかはわかりません。ただ、周囲の顔色をうかがいながら右往左往して決定的な方策を打ち出せないまま被害が甚大化するよりは、やるぞと決めたことを信じて一気に進めたほうが、成果が出るはずです。

だから、僕はそうしました。

僕の思考の整理には付き合ってもらうかもしれないけど、今までのような合議制を廃して基本的に僕がすべてを決めることを了承してもらいたい。僕が決めたことに対して「違うんじゃないか」と言うのはナシ。今は有事だから、スピードを重視してほしい。

経営陣はみんな納得してくれました。

派閥絡みの政治的な駆け引きがある大企業でこの方法は難しく、百数十名規模のベンチャーであるアソビューだからできたのかもしれません。しかしそのモードチェンジの柔軟性、それで獲得したスピード感が会社を救ったのは、前章までで述べたとおりです。

有事下でスピードが求められている時は、リーダーが全ての責任を持って仲間と共に一点突破する。これがサバイバルゲームの正攻法であり、組織の大小にかかわらない真理ではないでしょうか。

絶対に必要なこと以外は「やらない」

ふたつめのポイントは「やらない意思決定」です。

有事の際は時間的にも人的リソース的にも、やれることが限られます。それを極限までそぎ落とし、最低限のやるべきことだけを残すのが「やらない意思決定」です。

平時の際、僕は多くの数字を見ています。流通額、売上、限界利益、貢献利益に営業利益。さまざまな事業ＫＰＩ、サイト周りの来訪者数セッション、クリック率、コンバージョンレート、ＡＲＰＵ（Average Revenue Per User）、離脱率、ＯＰＣ（Order Per Customer）など。営業領域なら顧客接点数、商談率、商談数、契約率、契約数、単価……。経営者として、日頃から目を光らすべき指標は山ほどあります。

しかし有事の時にもっとも気にしなければならないのは会社の預金通帳残高、すなわちシンプルにキャッシュ（現金）でした。

その現金残高を確保するのに必要なのは、これまたシンプルに利益とコスト。「利益率の高い売上をどう獲得するか」と「コストをどう極限まで下げるか」。僕はここに全リソースを投入しました。ここまで削ぎ落とした上での「なんでもやる」です。それ以外のことは一切やらない。それが第2章〜5章で実行した各種施策です。

大災害が起きた時、数日間生き残るために必要なものは何でしょうか？　それはきっと水と乾パンです。それ以外のもの、通帳やハンコや着替えはもちろん生活に必要ですが、まずは命を永らえさせるという意味においては水と乾パンに勝るものはない。

絶対に必要なものは何かを見いだし、それ以外のことはやらないと決める。それが僕らを生き残らせました。

メンタルのセルフケアは極めて重要

3つめのポイントは「経営者のメンタル死守」です。

心が折れそうだった僕が、ランニング、Netflixのドラマ、料理でなんとか持ちこたえたことは第1章で述べました。リーダーの心が折れることが組織にとって一番のリスクなので、これを回避することはとても大事です。

どんな会社でもそうですが、経営者（組織トップ）は有事において、平時とは比べ物にならないくらい激しいストレスに苛まれ、プレッシャーと戦うことになります。その時にどれだけ平静でいられるか。モチベーションをキープし、やる気を切らさずに最前線で指揮を執り続けられるかは、実はあまり語られていません。

それでなくても経営者は役割上、責任を強く求められます。また、そもそもがストイックであることも多いので、多くを背負い込んで自分を追い詰めてしまうことも少なくありません。

自社の社員に弱音を吐くわけにはいかないので、経営者同士で励まし合ったり、業績回復のノウハウを共有しあったりということはよくあります。ただ、コロナ禍においては活況の業界と不況の業界が真っ二つに割れていたことで、複雑な状況がありました。

自分の会社が危機に陥っている時、うっかり活況な業界の人に相談してしまえば「隣の芝生が青く」見えてしまい、自社との格差に打ちひしがれてより落ち込んでしまう。

逆に、不況に苦しむ経営者と話したら話したで、さらなるネガティブの沼に引きずられてしまう恐れがある。マイナス同士は近寄らないほうがいいのです。

誰に相談するかはかなり悩ましいところ。妙な噂になってもいけないので、自分ひとりで抱えなければならない時もあるでしょう。

ですから経営者は基本的に、自分で自分をケアする意識を持っていなければなりません。それで出した僕の答えが「ランニング、Netflix、料理」だったのです。

メンタルケアのメソッドは他にもいろいろあります。中でも周囲の経営者がよく実践しているものとしては、筋トレ、瞑想、サウナなどが人気。僕も実践しています。

筋トレはランニング同様、頭であれこれ考えられないほど肉体を酷使しまくるというもの。

瞑想は過去にも未来にもとらわれず、何も考えずに脳を休める。普通に目をつぶると悪い考えが浮かんでしまいそうですが、トレーニングによって意識的に思考を休息させることが可能です。

サウナの場合、室温90度以上と水風呂15度以下を往復するようなガチのやつがおすすめです。熱い、寒いのみに集中でき、かつ両極端な極限状態を通じて脳の思考力を低下させることができます。

経営者というのは、机に向かった瞬間に放っておいても会社経営や事業について100個くらいの懸念事項がバッと脳に浮かんでしまうような人間です。これを4つか5つに減らす方法が筋トレ、瞑想、サウナといったもの。それだけでメンタルが被る負荷(こうむ)はだいぶ変わるのです。

そもそも日本人は自己犠牲に走りがちです。「自分さえ犠牲になればいい」というバイアスがある（僕にもないとは言い切れません）。

でも、自分を愛せない経営者が、会社の従業員を愛してあげられるはずはありませんよね。

だから経営者がセルフケアするのは組織の存続のためでもありますが、従業員を大切にすることとも同義だと言えるのではないでしょうか。

平時に無駄だと言われていることが有事に生きる

4つめのポイントは「事業ポートフォリオの分散化」です。……そういうと難しく聞こえますが、これは本書で再三申し上げている「平時の準備が有事を左右する」、あるいは「コネクティング・ザ・ドッツ」につながる話です。

アソビューが自治体のコンサルティング事業を始めた時、よく外部の方から「そんなことやってないで、本業に全張り(ぜんば)りしなよ」と言われていました。限られたリソースをもっと利益率の高いメイン事業にもれなく投下してはどうか、ということです。

しかし、コロナショック以降、V字回復までの間になんとか売上を確保できていたのは、この事業のおかげです。

平時の際に無駄だと言われることは、有事の際に決して無駄にはなりません。

もしかしたら、災害で社会が壊滅状態になった時、普段から生活のすべてをデスクワークに費やして高収入をあげている人より、年収は生活できるギリギリだけど趣味の釣りで山や川を歩いている人のほうが、生き残れる確率は高いかもしれません。食料確保ができる技術と丈夫な足腰があるからです。「お前、釣りなんかしてないでもっと仕事に集中しなよ」と言われても聞く耳を持たなかった人のほうが、デスクワーク一辺倒だった人よりも環境の変化に対応できる可能性がある。極端な例ですが、でもそういうことです。

あるいは、ある大学に入るために受験科目である英語と数学だけをひたすら勉強していた人と、全教科まんべんなく勉強していた人がいるとしましょう。しかし受験直前に科目が国語と世界史に変更されたとしたら……。

そんなことは現実にあるはずがない、と言い切れるでしょうか？

それくらい理不尽なルールチェンジが何の前触れもなく起こったのが、今回のコロナでしたよね。

正解のない時代です。何が起こるかは誰にもわかりません。かつて就職先として「一生安泰」「安全確実」と言われていた大手企業においても、ここ30年の間で厳しい状況に追い込まれてしまった会社が少なくありません。しかしそれを当初から予見できていた人がどれほどいたでしょうか。

その時その時に心が趣くことを精一杯やればいい。熱量を注げばいい。「無駄だ」と外野は言うかもしれないけど、いつか必ず役に立つ時が来ます。結果的にそれが、事業の分散化による有事での売上確保につながりました。

すべての打ち手は「顧客起点」に基づいていた

僕が会社の危機に際して打った方策は、すべて「顧客起点」に基づいていました。

顧客起点とは「顧客の声・ニーズを起点にして、施策・打ち手を考えること」と定義しておきましょう。これはアソビューがアドバイザリー契約を結んでいるStrategy Partners代表・西口一希氏の著書からの引用です。

同書からさらに引用すると、顧客起点マーケティングとは、「一人の顧客を起点に商品やサービスの新たな可能性を見つける概念です。(中略) たった一人の顧客の声を聞くことを『N1分析』、これを通して見つかる、人の心を動かせる商品・サービスの魅力や訴求を『アイデア』と表しています」(『たった一人の分析から事業は成長する 実践 顧客起点マーケティング』西口一希・著)。

これに当てはめて考えると、アソビューの「顧客」は大きく分けて3つ。

ひとつめはゲスト、すなわちアソビューの利用者。ふたつめはパートナー、レジャー施設などの事業者。ここまではわかりますよね。でも僕はここに、あえてもうひとつ入れました。3つめ、アソビューの従業員です。

従業員を顧客と捉えることに違和感を覚えるかもしれませんが、経営者の僕にとっては共に戦う仲間でもあり、幸せを願う対象であることは疑いの余地がありません。広義の意味では「顧客」なのです。

順に説明しましょう。

まずゲストの声。緊急事態宣言によるお出かけ自粛で、特にお子さんがいる家庭を中心に「ずっと家にいるのに飽きた」、あるいは「苦しんでいる自分の好きなお店や事業者を支援したい」といった声が聞かれました。また、緊急事態宣言が明けても「感染拡大の当事業者になってしまうリスクに対する不安」も切実でした。

それに応えたアイデアが、「おうち体験キット」「応援早割チケット」「三密バッジ」だったわけです。

次にパートナーの声。これは「営業を再開したいが、クラスター発生時のレピュテーションリスクが高過ぎる」や「もらえる補助金や手続きがわかりづらい」でした。

それに応えたアイデアが、「感染拡大防止ガイドラインの作成と日時指定電子チケットシステムの提供」「補助金交付方法をまとめたメルマガの作成・共有」です。後者に関して言うと、とりわけ持続化給付金は、小規模のパートナーであればしばらくの生活を支えられる有益なキャッシュ獲得の方法でした。アソビューからの案内メールで初めて補助金の存在を知り、申請して難を逃れたというパートナーも複数いらっしゃったので、一定の便益を提供できたと思います。

最後に従業員の声。これは「会社の経営状態に対する不安」と「自身の成長機会を損失することに対する憤り」に尽きます。

これに対して応えたアイデアはそれぞれ「会社の経営状態をあらゆる手段で共有する」と「成長機会がある企業への出向」でした。前者は軍略会議やSlackなどあらゆるチャネルを活用して、デイリーで会社の経営状態、意思決定やその背景をオープンに発信し、可視化することを宣言・実行しました。後者は雇用シェアによって実現しています。

自分を責めずに済んだ

正直に言えば、今回の危機を乗り越えたことは、僕にとって100点満点の美談ではありませんでした。

出向者の4割がアソビューを去ってしまった事実はその最たるものです。出向した24人中8名が転籍、2名が退職していきました。

僕は当初、転籍・退社は多くても3割、なんだかんだで2割程度ではないかと予測していましたが、それを超える結果となってしまったのです。

雇用シェアについては先述の通り、僕や経営陣が率先して出向先を探してネゴシエーションして……と、コスト（労力）の観点から言えばかなりかけました。しかしその結果は10名の人材流出。14名は成長して帰ってきてくれましたが、はっきり言えば「投資」が「回収」できないという結果に終わりました。経済合理性の観点からは失敗だったと言えるでしょう。

ただ、これだけは言えます。僕自身の倫理観、使命感、価値観に照らし合わせた自分の納得度は100点満点でした。雇用シェアを断行したことで、路頭に迷うことなく仲間がそれぞれに成長できたと思うことで、僕は少なくとも自分を責めずに済みました。

好ましき波及効果もありました。雇用シェアがメディアでたくさん報道されたことで、はじめてそういう仕組みがあると知った方がたくさんいたのです。僕らの取り組みに勇気を得てアイデアを横展開した企業も現れ、世の中で雇用シェアの動きが広がりを見せました。そのことで決して少なくない雇用が守られたと認識しています。

ですから、一企業体の代表としては経済合理性を追求できなかったかもしれませんが、一時代を生きるリーダーとしての役割は果たせたんじゃないか。僭越ながら、そう思うようにしています。

捕食者がいるかもしれない危険な海に最初に飛び込むペンギン（ファーストペンギン）がいるおかげで、群れの残りのペンギンは安全が確保されます。そんな役割をアソビューは果たせました。向こう見ずに飛び込んだせいで「人材流出」という手痛い傷は負ったけど、命まで取られてはいない。

僕らの奮闘を見た他の企業が、なるべく怪我をしない方法で次々と海に飛び込めるようになったとしたなら、それほど嬉しいことはありません。

「井の中の蛙(かわず)」の成功体験

既に述べたように、アソビューの創業メンバーはみんな「友達」でした。創業後、アルバイトを雇うために古巣リクルートの「フロムエーナビ」を使って募集をかけましたが、最後まで応募は来ませんでした。Facebookでその悲しみをつぶやいたところ、中学時代のサッカー部の友達が「俺がやってやろうか」と連絡してくれたのです。

スタートはカオス、頼れるのは友達コミュニティのみ。それが粘っこく渦を巻き、螺旋(らせん)階段のように大きくなって今のアソビューがあります。

だから、僕の社員に対する想いは今でも労使の関係だけではありません。契約云々を語るとかではないエモさ、青臭さ、絆。どこかドライになりきれない。

知り合いの教育者の方から、以前登壇イベントの中でこんなことを言われました。

「山野君は、八村塁(はちむらるい)選手のようなプロセスで成長してきたリーダーかもしれないね」

八村塁選手と同列で語ること自体大変おこがましいのですが、あくまでも知人から教えてもらった成長プロセスの話なのでこのまま続けます。

NBAで活躍するプロバスケットボール選手の八村塁さんは、日本に生まれて日本でバスケをして育ち、中学・高校で大活躍したのち、大学進学を機に渡米しています。

でも、もし彼がアメリカで生まれてアメリカでバスケをしていたら、今ほどには活躍できなかったかもしれない——という仮説の話です。

八村選手は素晴らしい身体能力と技術の持ち主ですが、世界一のバスケ王国アメリカには、圧倒的にすごいプレイヤーがローティーンのうちから周囲にわんさかいたことでしょう。

一方、彼が中高をすごした日本の富山や宮城といった地方は、アメリカのバスケのレベルには及びません。しかし、だからこそ八村選手は地域で、日本で「圧倒的スター」として成功体験を積み上げたことで揺るぎない自信を身につけ、その自信を武器にアメリカに行っても活躍できたのではないか。そんな成長論の話を、その教育者の方はしてくださいました。

そういった意味では、八村選手よりも身体能力が高いアメリカ出身の選手で、現在の八村選手ほどNBAで活躍できていないプレイヤーはたくさんいるのだと思います。

幼少期にある集団、あるカテゴリの中で圧倒的なトップに立って自信をつけることは、ものすごく大切です。ここにおいて組織やカテゴリの大小は問いません。大切なのは成功体験を刻むこと。これは心理学者のアルバート・バンデューラが提唱した「自己効力感」(ある状況下で結果を出すために適切な行動を選択し、かつ遂行するための能力を自らが持っているかどうか認知すること)や、『史記』に登場する「鶏口牛後(けいこうぎゅうご)(大きな組織の末端にいるより、小さな組織のリーダーになるべき)」に通ずる話だと思います。

もし僕が、仮に東大や慶應に合格できたとして、その大学の起業サークルに在籍していて、学生の起業コミュニティともたくさんつながっていて、リクルートでウェブ系事業開発の最先端デジタル部署なんかに配属されていたとしたら、並み居るスーパープレイヤーたちに気圧(けお)されて、どこかで自信を失っていたかもしれません。

でも僕は、「情弱」であるがゆえにそういう道は歩まず(知らず)、ただひたすら千葉の地方都市と都内の大学を往復しながら柏をパトロールし、柏で成功体験を得て、着実に自信を積んでいきました。「井の中の蛙」の状態が良い方向に働いたのです。

ついでに言うと、無知ゆえに「古着屋さんのオーナーに企画書を渡して破られる」ことで鍛えられた気遣い力も、アソビューの事業立上げの際に大いに役立ちました。わけのわからない若造がいきなり営業で来た時に、相手はどう感じるか、こちらはどんな言葉をかければいいのか。僕は大学時代のフリーペーパーの広告営業ですべて学んでいました。

ちなみに、お店への飛び込み挨拶には何を持っていけばいいかご存じですか？

缶コーヒーです。

「コーヒーどうぞ」「お、悪いねえ」。このコミュニケーションがどれだけ大事かは、一流大学の起業サークルでは、もしかしたら学べなかったかもしれません。

起業家に向いているのは「やり抜ける人」

僕程度の人間が言うのもおこがましいことは百も承知で、「起業家に向いている人」の資質を考えてみると、それはひとえに「やり抜ける」ことだと思います。

起業すると、まったく想定していなかった無理難題の状況下に置かれます。前例も正解もない。それでもやらなきゃいけない。だから「やり抜ける人」が起業家に向いています。

間違ってほしくないのは、「結果を出せる人」ではないということです。

受験勉強で言うなら、ひたすら勉強をし続けるという行動をやりきった人は、たぶん起業家になれます。志望校に受かったか、受からなかったかはあまり関係ありません。

成果が出なかったのは勉強のやり方が良くなかったからなので、それはあとから修正すればいい。それよりも、完璧でなくてもいいから愚直にやり抜く。その資質のほうがずっと大事です。

フルマラソンの42・195キロでたとえるなら、40キロ地点くらいで突然審判員が併走してきて、「すみません、ちょっとコースが変わりまして、ゴールはあと100キロ先に変更されましたから頑張ってください」と言って去っていく。ビジネスではそんなことが起こります。

当然、言われたランナーは焦ります。しかしここでパニックにならず、残りの体力であと100キロ走り切るにはどうすればいいかを落ち着いて考える。たぶんこのペースで走り続けたらあと10キロでダウンするだろう。だったら今のうちに5分くらい休憩しておこう。水もたくさん飲んでおこう。とにかく順位はなんでも良いのでリタイアしないための方法を、できることからひとつずつ実践していく。最大の目的はゴールまで走り続けることなのだから。

これができる人は起業家に向いていると言えるでしょう。

「肝心の、高い志とか目的意識とかビジョンなんかはどうなのか」って？

もちろんあったほうがいいですが、僕は起業の目的は曖昧でもいいと思っています。「その分野が好きだから」でもいいし、「誰かにムカついたから見返したい」でもいいし、「脚光を浴びてモテたい」でもいい。大切なのは、やり抜くだけの強いモチベーションかどうか、それだけ。

「知識や技術、賢さといったスペックは起業家に必要ないのか」って？

もちろんそれもあるに越したことはありませんが、僕はどちらでも良いと思っています。知識や技術はそれができる仲間を集めればいいだけの話であって、起業家自身が持っておくべき資質は「やり抜く力と、それを下支えするモチベーションの源泉」。とにかく何をおいてもここに集約されるのです。

〝ＩＴ業界のＴＵＢＥ〟からの脱却

近年のアソビューの歩みについて少々。

第５章で述べたように、僕は２０１３年の夏に「休日、なんか楽しいことないかな」が現代社会にはびこる人類の課題だと気づきました。その解決方法を旅行やアウトドアに限る必要はありません。

実は草創期のアソビューは〝ＩＴ業界のＴＵＢＥ〟（ＴＵＢＥは夏に多くのヒット曲を生みだしたバンド）みたいな感じで、アウトドアが盛んな夏だけ盛り上がる（＝売上が上がる）ような存在でしたが、間もなくしてそこからの脱却を図りました。

そのきっかけになったのが、インドアの体験教室をサービス対象に加えていったことです。陶芸体験、そば打ち教室、生け花教室、ガラス工房など。これらはアウトドアと同様、「休日の遊びの選択肢」に他なりません。

こうしてアソビューは事業領域を広げていきました。

２０１４年3月にはグロービス・キャピタル・パートナーズとジャフコから2億円を資金調達（エクイティ・ファイナンス）。その実現のために僕らにたくさんのアドバイスをしてくださったのが、コロナ初期に注意喚起をしてくれた小澤隆生さんです。実は小澤さんとは創業前の２０１１年にお会いした際にサービスの構想をお話しし、共にアイデアを磨いていきました。

百戦錬磨の起業家の大先輩である小澤さんが、太鼓判とは言わないまでも、「いけそうな気配を感じる」と言ってくれたことは、当時の僕らにとっては相当な自信になりました。

２０１５年にはＪＴＢの投資を受けました。その前身から数えても、同社１００年の歴史の中で初めてのベンチャー企業に対する投資だったそうです。「歴史あるＪＴＢが認めた会社」ということで、日経新聞やテレビ東京の「ＷＢＳ」でも大きく報道され、アソビューの対外的な信用度は大きく上がりました。

２０１７年以降は、水族館や遊園地といった有名どころの施設のオンラインチケット販売にも事業を拡大していきました。当時、オンラインでチケットを買える施設は限られており、現地の券売機やコンビニでしかチケットを買えない施設がほとんどだったのです。「現地の券売機でしかチケットが買えない」不便さは、「サーフィンの体験教室に予約の電話をしたけど誰も出なくて、夕方にようやく折返し電話がかかってきた」不便さと同じ。最適化の余地が大きくあるのです。しかし各施設が自前でシステムを組むのは大変。運営コストがばかになりませんし、セキュリティの問題もあります。であれば、僕らのプラットフォームがそれを代行して解決すればいい。

こうして従業員と売上は増えていき、順風満帆の中、本書第１章冒頭につながるのです。

2025年までに400万人に遊ぶ機会を提供

アソビューは「生きるに、遊びを。」というミッションを掲げています。ここには生きるために必要な生活の3大要素である「衣」「食」「住」に「遊」を加えましょうという意図があります。3大要素ならぬ4大要素ですね。

人間は衣食住がきらびやかなだけで、十分な幸福実感が得られるのでしょうか？　僕はそうは思いません。幸せを実感するには素敵な思い出が必要です。誰かと、好きな人と、素敵な時間を過ごすことによって得られる思い出。その手段の一丁目一番地に遊ぶ機会があり、それを最大化する機会をアソビューが提供するサービスでお届けできたらと思っています。「遊び」という言葉の響きから、「働いていない＝怠けている」というイメージでとらえる人は、まだまだいらっしゃいます。「遊びほうけるのは悪、遊びは不要、遊びは生きる上で優先度が低い、遊びはいかがわしい」と。

でも、それは違います。

生まれたばかりの赤ちゃんは家族やおもちゃと、あるいはひとりででも常に遊んでいます。一説には、それが脳の成長にとって必要なプロセスだからですが、とにかく人間にとって「遊びたい」は本能だと言ってもいい。

縄文人は水を汲むために土器を作りました。その土器に施されている縄目模様は必要だったのでしょうか？　それは要・不要で片付けられるものではなく、本能としての遊び心が働いた上での創作だったのだと思います。

だからこそ僕は、コロナ危機でも「人間から遊びは消えない。需要は必ず回復する」と思い続けられました。

具体的な中間目標としては、2025年までに年間累計で4000万人以上の人にアソビューの提供するサービスを活用して「遊んで」いただきたいと思っています。日本最大のテーマパークであるディズニーリゾートのコロナ前（2018年度）の年間来場者数が約3260万人。僕たちはそれを超えていきたい。

現在の成長率で考えれば、十分に現実感のある話です。

「山野がまた大きな口叩いて……」と呆れる方もいるかもしれませんね。でも宣言しなければ何も実現しない。宣言した上で戦術リストを作って実行する。僕は不可能を可能にできるチームとチャレンジをし続けていきたいと思っています。

世界で活躍する日本の起業家を目指す

紙数も尽きてきました。最後にもう少しだけ僕の野望を語らせてください。

事業の海外展開です。

僕は学生時代からよく海外旅行に出かけていましたが、行く先々の国で「日本」という国は大きな存在感がありました。現地の人に話しかけると、「ホンダ！」「ソニー！」などとよく言われましたし、実際日本の電子機器メーカーや半導体メーカーは世界の市場を席巻していました。

そういう光景を見て、僕はすごく誇らしかった。日本の明るい未来が、確かな希望が世界の各所で感じられたからです。

しかし世界的企業の上位がインターネットサービスに置き換わり、GAFAM（Google, Amazon, Facebook, Apple, Microsoft）といったアメリカのトップ企業が世界のビジネスを席巻する時代になると、日本企業がグローバルで勝てる状況がほとんどなくなっていきました。

厳しい現実です。でも、だからといって指をくわえて見ているだけでは、僕が海外で味わったあの気持ちが次の世代に引き継げません。夢がない。

そんなのは嫌だ。

日本発の企業であるアソビューが提供するサービスを、なんとしてもグローバルに展開し伸ばしていきたい。近い将来アソビューのサービスを世界中の人に使ってもらいたいのです。

日本は１９８０年代、その目覚ましい経済成長から「ジャパン・アズ・ナンバーワン」と呼ばれていました。しかし現在、ＧＤＰの成長率や企業の時価総額ランキングといった主たる経済指標においてはアメリカや中国の劣勢に立たされているばかりか、今後はさらに経済成長の鈍化も懸念されています。それらの指標がこれからの時代において最重要かどうかはさておき、僕は諦めたくはありません。

かつて野茂英雄がメジャーリーグに行ったおかげで後にたくさんの日本人選手が続き、そのバトンリレーの最新走者に現在ロサンゼルス・エンゼルスで大活躍する大谷翔平選手がいます。大谷選手のアメリカにおける人気と圧倒的な実力、八面六臂（はちめんろっぴ）の活躍ぶりは、もはや説明するまでもないでしょう。

僕らのいるＩＴ業界で言えば、ソフトバンクの孫さんや楽天の三木谷さんが野茂にあたるのだと思います。そこにメルカリの山田進太郎さんやスマートニュースの鈴木健さんらが続いて挑戦をしている。その系譜を継いで挑戦していきたい。

世界に挑戦する日本のＩＴビジネスは、ようやくスタートラインに立ちました。時間はまだかかるかもしれない。だけど、日本の若き起業家たちが成長を遂げ、いずれ世界市場を席巻する可能性を僕は信じてやみません。

この時代に生を受けた起業家として、僕はチャレンジを続けます。

第7章

平時が有事を左右する。危機のリーダーシップ

□有事の経営判断は合議制ではなく、トップダウンとする
□絶対に必要なこと以外は「やらない」意思決定をする
□平時には無駄と思われる準備をしておく
□「顧客起点」で経営の全てを考える習慣をつける
□起業家に向いているのは「やり抜ける」人
□世界で活躍する日本の起業家を目指す

あとがき

この原稿を書いている2021年10月現在、新型コロナ感染拡大による影響は小休止したように見えます。第6波が襲ってくる懸念もありますが、この本が発売される頃には完全に収まってくれていることを祈るばかりです。

長きにわたり最前線を支えてくださっている医療従事者の皆さま、また、社会生活のインフラを支えてくださる皆様、そしてそれを支えるご家族、ご関係者の方々にも頭が下がる思いです。本当にありがとうございます。

1回目の緊急事態宣言発出から半年、僕は無我夢中で新たな事業に取り組み、同時にひとりも社員をクビにしないで会社を存続させる方法を探ってきました。そしてなんとか危機を脱することができました。

運に恵まれた部分も多分にあったと思います。しかし「棚ぼた」のチャンスを得るには、少なくとも棚の下に移動する努力をしなくてはなりません。頭をフル回転させ、手足を必死で動かし、ジタバタとあがき続けた先の幸運だったと思っています。

1年だと思っていた我慢の期間が、じわじわと2年に延びようとしています。飲食、旅行、交通、イベント、エンターテインメントなど、コロナ禍が直撃している業界に所属する方々の中には、もしかしたら「もうダメだ」と自暴自棄になっている方もいるかもしれません。

しかし、もしあなたがリーダーであるなら、どうか折れないでください。リーダーの心が折れたら、組織は崩壊します。強くあるべきとは言いません。どうか心を折らないために、僕がやったようにマラソンでも料理でもなんでもいいので、自分自身をいたわり、頭や心を休める時間を作ってください。

平時の常識は有事の非常識です。平時から目の前のことに一生懸命取り組んでさえいれば、有事の際に必ず花が開くとは言いませんが、状況を打破するための糧にはなるはずです。

あなたの会社で大打撃を受けてしまった事業の資産は、もしかしたら別分野で大きく活かすことができるかもしれません。ぜひ今一度、平時で紡いできたアセットに目を向けて、それらを組み合わせた戦術リストを作ってみてください。それをすべてやり切るプロセスのどこかに活路があるはずです。

こうしてこの本を出版できるのも、本当にたくさんの方々の支えがあったからこそです。

まず、アソビューの仲間たちに感謝を伝えたい。

「トップダウン体制で意思決定をする」と決めた以上、すべての責任は明確にトップである僕にあります。矢継ぎ早に様々な施策を進めていったわけですが、議論の余地がなかったり、説明が不十分だったりしたこともあるでしょう。それゆえに不安にさせたことも多々あったことと思います。

戦術リストを持っていた僕は、知らない土地でも地図を手にしていたようなものですが、みんなは地図がない状態で全力で先頭を走る僕に付いてきてくれている状態でした。地図の全体像が把握できていない分、不安も大きかったと思います。それでも全権を任せてくれ、僕の意思決定を信じて全員が行動してくれたからこそ今があります。

このドキュメンタリーはたまたま代表して僕が筆者として書いていますが、実際は当然ながらみんなを含んだ「僕ら」のドキュメンタリーです。今なお、共に成長を目指してくれている人、転籍を選択した人、そして、新しく加わってくれた人、過去にいてくれた人。みんながいてくれたからアソビューがあります。本当にありがとう。

そして出向受け入れに手を挙げてくださったたくさんの企業様、また「野武士コンソル」で案件の発注を検討してくださった企業様、その他様々な相談に乗ってくださった友人のリーダーのみなさんにもお礼をお伝えしたいです。ここにはメリット・デメリットといった経済合理性が多少なりともあったかもしれませんが、多くは善意からのお声がけだったと思います。売上が無風状態の危機的状況の中で、一つひとつのご連絡が応援歌となり、僕の心の支えとなりました。本当にありがとうございました。

先行きの見えづらい現代では、いつ何時（なんどき）、何が起こるかわかりません。そうならないことを心から願っている前提で、みなさんがもし万が一危機的状況に陥った際は、真っ先に手を差し伸べられる会社であれるように、しっかりと成長していく所存です。

最後にこの本をお読みいただいた、同じ時代を生きているみなさん。行動を制限せざるを得ない状況になり、様々な楽しみがなくなってしまい、先の見えない日々に苛立ちを覚えることもあったと思います。僕も同じです。しかし、明けない夜はないと信じて、共に励まし合って切り開いていきましょう。この時代を共に生きる仲間として、戦友として、この危機に対して全員がリーダーとなって、批判ではなく提案を、それぞれが出せる少しずつのアイデアを武器に「当事者」として共に頑張りましょう。

最後までお付き合いいただきありがとうございました。

山野智久

［著者］

山野智久（やまの・ともひさ）

アソビュー株式会社 代表取締役 CEO。
1983年、千葉県生まれ。明治大学法学部在学中にフリーペーパーを創刊。卒業後、株式会社リクルート入社。2011年アソビュー株式会社創業。レジャー×DXをテーマに、遊びの予約サイト「アソビュー!」、アウトドア予約サイト「そとあそび」、体験をプレゼントする「アソビュー! ギフト」などWEBサービスを運営。観光庁アドバイザリーボードなど中央省庁・自治体の各種委員を歴任。アソビューは期待のベンチャー企業として順調に成長していたが、2020年にコロナ禍で一時売上がほぼゼロに。しかしその窮地から「一人も社員をクビにしない」で見事にV字回復を果たしたことが話題になり、NHK「逆転人生」に出演。

弱者の戦術
——会社存亡の危機を乗り越えるために組織のリーダーは何をしたか

2021年11月30日　第1刷発行

著　者——山野智久
発行所——ダイヤモンド社
〒150-8409　東京都渋谷区神宮前6-12-17
https://www.diamond.co.jp/
電話／03･5778･7233（編集）　03･5778･7240（販売）

構成————稲田豊史
編集協力——彦坂真依子
装丁･本文デザイン—三森健太（JUNGLE）
DTP･図版作成—スタンドオフ
校正————鷗来堂
製作進行——ダイヤモンド・グラフィック社
印刷————堀内印刷所（本文）・加藤文明社（カバー）
製本————本間製本
編集担当——亀井史夫

ISBN 978-4-478-11443-8